Chemin
de
contemplation

Du même auteur

Exil et Tendresse, Éd. Franciscaines, 1962.

Le Cantique des créatures ou les Symboles de l'union, Desclée de Brouwer.

Le Chant des sources, Éd. Franciscaines, 1976.

Le Peuple de Dieu dans la nuit, Éd. Franciscaines, 1976.

François d'Assise, Le retour à l'Évangile, Desclée de Brouwer, 1981.

La nuit est ma lumière, Matthias Grünewald, Desclée de Brouwer, 1984 ; 2ᵉ éd. 1994.

Le Royaume caché, Desclée de Brouwer, 1987.

Dieu plus grand, Desclée de Brouwer, 1990.

Sagesse d'un pauvre, Desclée de Brouwer, 1991.

Rencontre d'immensités, Desclée de Brouwer, 1993.

Un Maître à prier — François d'Assise, Éd. Franciscaines, 1993.

Éloi Leclerc

Chemin
de
contemplation

DESCLÉE DE BROUWER

Imprimi potest
Rennes, le 15 janvier 1995,
Fr. Jean Normant, ofm, provincial

© Desclée de Brouwer, 1995
76 *bis*, rue des Saints-Pères, 75007 Paris
ISBN 2-220-03601-4

« ... *Je me demande toujours, en lisant les livres... si les gens qui les ont écrits sont devenus meilleurs en les écrivant ... Peut-être ont-ils tous été heureux à l'idée d'avoir achevé un grand travail et de devenir riches et célèbres. Mais leurs visages étaient-ils devenus plus purs, et leurs cœurs, leurs mains ? Il devrait en être ainsi, quand on écrit un bon livre. J'imagine que les traits de Claudius, de Bruckner ou de Mozart devaient être beaux, quand ils posèrent leur plume. Comme un ange qui vient de s'acquitter de son message et ouvre de nouveau les ailes.*

« *Mais je n'imagine rien de tel chez les écrivains d'aujourd'hui. J'imagine seulement qu'ils souriraient, si on leur disait cela. Tout comme ils le feraient si leur petit-fils leur demandait s'ils sont pieux. Pas d'un bon sourire, mais du sourire de leur époque...* »

Ernst Wiechert, *Missa sine Nomine*,
trad. J. Martin, Calmann-Lévy, 1953.

« ... *En chaque lieu du temps, en chaque moment de l'espace, je redécouvrais des étincelles de Dieu, qui allaient s'éteindre, éteindre un peu de Dieu ; et, dans la joie créatrice de Dieu, je brûlais de les ranimer, ces étincelles, rallumant la lumière de Dieu ; et, me refaisant, et refaisant le monde, et l'homme, et Dieu, plus joyeux, de rendre à Dieu le monde, et l'homme, et Dieu !...* »

Edmond Fleg,
Jésus raconté par le Juif Errant,
Albin Michel, 1993.

Prologue

C'était par une belle nuit de fin d'été sur le mont
Alverne. Après une journée bien chaude, il faisait
bon respirer un peu de fraîcheur. La forêt toute
proche, écrasée par le soleil du jour, reprenait dou-
cement haleine. Par la fenêtre du petit ermitage,
frère François regardait le ciel tout scintillant
d'étoiles. La grandeur, le silence et l'indicible
pureté du firmament le pénétraient profondément.
Il vibrait intérieurement à ces immensités lointaines et cependant fraternelles : « Nos sœurs les étoiles, claires, précieuses et belles... » murmura-t-il,
en guise de salut amical. Il voyait toutes choses à
l'intérieur d'une unité de création. Puis, il ajouta :

« Je te rends grâce, Père, d'avoir créé le monde visible et invisible... » Une étoile filante traversa le ciel, tel le paraphe lumineux du Créateur sur son œuvre. Une partie de la nuit se passa ainsi dans l'adoration et la louange.

Au matin, François vit venir à lui frère Léon, timide et craintif à son habitude, mais avec un air particulièrement abattu en ce début de jour. Il confia à François qu'il n'avait pu dormir de toute la nuit, étant en proie à un grand tourment de l'âme. Il ne savait plus où il en était dans sa vie d'union à Dieu. Il voyait se dresser devant lui la montagne insurmontable de ses imperfections et de ses infidélités. François l'écoutait, silencieux. Léon caressait un secret espoir. Il souhaitait intérieurement obtenir de François quelque pieux écrit de sa main, car, pensait-il, cela le délivrerait à coup sûr de son trouble et de toutes ses angoisses. Ce serait un talisman infaillible qui ramènerait la sérénité en son âme, en toutes circonstances.

François qui connaissait bien son frère devina son désir. Il prit le parchemin que Léon tenait discrètement, tout prêt, dans sa main. Il se recueillit un instant, puis il se mit à écrire. Les mots venaient tout seuls sous sa plume. Les phrases se succédaient, courtes, rapides, ailées. Manifestement il écrivait avec allégresse. Ce n'était pas une exhortation ou une admonition qu'il rédigeait. Il laissait son cœur chanter. C'était une litanie de louanges :

« Tu es le seul Saint, Seigneur Dieu,
toi qui fais des merveilles !

Tu es fort, tu es grand,
tu es le Très-Haut, tu es le roi tout-puissant,
toi, Père saint, roi du ciel et de la terre.

Tu es trois et tu es un, Seigneur Dieu,
tu es le bien, tu es tout bien,
  tu es le souverain bien,
Seigneur Dieu vivant et vrai.

Tu es amour et charité, tu es sagesse,
tu es humilité, tu es patience,
tu es beauté, tu es douceur,
tu es sécurité, tu es repos,
tu es joie, tu es notre espérance
  et notre allégresse,
tu es justice, tu es mesure,
tu es notre richesse, tu nous suffis.

Tu es beauté, tu es mansuétude,
tu es protecteur,
tu es notre gardien et notre défenseur,
tu es la force, tu es la fraîcheur.

Tu es notre espérance,
tu es notre foi,
tu es notre amour,
tu es toute notre douceur,
tu es notre vie éternelle,
grand et admirable Seigneur,
Dieu tout-puissant, miséricordieux Sauveur[1]. »

François leva la plume et s'arrêta. Il aurait pu
continuer à écrire ainsi pendant des heures. C'était
un débordement tranquille de son cœur. Il ne

---

1. *Louanges pour frère Léon. Cf. Th. Desbonnets, D. Vorreux, Saint François d'Assise. Documents*, Éd. Franciscaines, 2e éd., p. 152.

cherchait pas à enseigner, encore moins à démontrer quoi que ce fût. Il chantait tout simplement. Sans se soucier de mettre un ordre quelconque à ses pensées. C'était une louange improvisée, intarissable. Un jeu d'approche autour d'une réalité ineffable qu'on ne se lasse pas de contempler, sans jamais pouvoir l'exprimer pleinement et vraiment.

Léon, silencieux et ravi, regardait François. Celui-ci se remit à écrire. Cette fois c'était une bénédiction à l'adresse de Léon, qu'il rédigeait. Une bénédiction toute biblique :

> « Que le Seigneur te bénisse et te garde ;
> qu'il te montre sa face
> et te prenne en pitié !
> Qu'il tourne vers toi son visage
> et te donne la paix !
> Que le Seigneur te bénisse, frère Léon[2] ! »

Et François traça sur le nom du frère la lettre hébraïque *Tau*, en forme de *T* majuscule. C'était sa signature. C'était aussi le signe des sauvés, selon le texte du prophète Ézéchiel.

« Voilà, dit François à Léon. Prends ce parchemin et garde-le sur toi, jusqu'à ta mort. Et que vienne sur toi la grande douceur du Seigneur notre Dieu[3] ! »

Léon était comblé. Il n'en espérait pas tant. Quant à François, sa joie, à lui aussi, était grande. Car, dans le langage tout simple d'une litanie de louanges, il venait d'écrire et de confier à Léon le

---

2. *Saint François d'Assise. Documents, op. cit.*, p. 153.
3. *Ibid., Deuxième considération sur les stigmates*, p. 1221.

mémorial de son expérience mystique sur l'Alverne. C'était son merci à Dieu pour tout ce qu'il avait reçu en ce lieu. Un mémorial de reconnaissance.

Léon reçut cet écrit comme tel. Il notera plus tard sur le parchemin : « Afin d'honorer la bienheureuse Marie, mère de Dieu, et saint Michel archange, le bienheureux François, deux ans avant sa mort, fit un carême de quarante jours sur l'Alverne, depuis l'Assomption de la Vierge Marie jusqu'à la Saint-Michel de septembre. Et le Seigneur étendit la main sur lui : après avoir reçu les stigmates du Christ sur son corps, il composa les louanges qui sont au verso de cette feuille, et il les écrivit de sa propre main pour rendre grâces au Seigneur du grand bienfait qui lui avait été accordé[4]. »

Quand le lendemain matin Léon revint vers François, son visage rayonnait comme le soleil. Il raconta comment le trouble dont il avait cruellement souffert avait complètement disparu, à la lecture de cet écrit. La paix était revenue dans son âme, avec la grande douceur de Dieu.

Alors François lui dit : « Ces lignes que j'ai écrites et que je t'ai confiées ne sont aucunement des formules magiques ; elles renferment cependant un grand secret.

— Quel secret ? demanda Léon intrigué.

— Ce sont des paroles de louange et d'adoration, dit François. Et celui qui les fait siennes et qui s'ouvre à l'esprit de louange et d'adoration vit une

4. *Ibid.*, p. 152.

expérience d'émerveillement qui le dessaisit de lui-même. Il cesse de se crisper sur son destin, de se regarder. Il ne se demande plus où il en est dans sa vie d'union à Dieu. Fasciné par la réalité merveilleuse de Dieu, il vit plus en Celui qu'il contemple qu'en lui-même. Son être n'est plus qu'un regard émerveillé. Peu importe alors où il en est avec Dieu ! Il ne se pose plus de question : Dieu est, cela suffit. Sans même s'en douter, il entre dans la joie de Dieu, il fait connaissance avec la grande joie divine d'exister. »

Les pages qui suivent voudraient tout simplement aider le lecteur à s'ouvrir à cet esprit de louange et d'adoration. Comment ? En déployant sous son regard intérieur une vision de Dieu et de son dessein, qui le libère de lui-même et le livre, dans l'émerveillement, à l'Esprit du Seigneur. Nous avons tous besoin qu'un grand souffle, venant de Dieu, nous arrache à nos petitesses et nos étroitesses, et nous fasse communier à la source de la vie et de l'amour créateur. « L'homme aime comme il voit » : cette remarque d'Angèle de Foligno renferme une profonde sagesse. Ce que l'homme voit et contemple façonne son cœur. Son amour a la mesure de sa vision. Il en a aussi la pureté et l'éclat. « Si ton œil voit la lumière, disait Jésus, ton corps tout entier sera lumière[5]. » L'homme devient toujours ce qu'il contemple.

5. Mt 6,22.

1. Éveillez-vous, harpe, cithare ! (Ps 57,9)

Quand on parle de vie mystique, on s'imagine volontiers une vie à part, marquée par des phénomènes extraordinaires, par des états d'âme seconds ou des lumières exceptionnelles : extases, visions, révélations, etc. Nous devons absolument éviter de confondre l'expérience mystique avec ces phénomènes insolites qui peuvent parfois l'accompagner mais qui ne lui sont nullement essentiels. La vie mystique est quelque chose de beaucoup plus simple et aussi de plus solide et de plus profond. Et en même temps de plus merveilleux. Elle se caractérise avant tout par la tendance à l'union à Dieu, par la recherche d'une communion avec

Dieu. Elle est essentiellement la vie d'union à Dieu.
C'est ainsi que nous l'entendrons dans cet ouvrage.
Le désir de Dieu est au cœur de la Révélation.
Il se trouve clairement exprimé — et avec quelle
force ! — dans la tradition biblique, notamment
dans certains psaumes. Voici, à titre d'exemples,
quelques versets qui traduisent cette soif de Dieu,
ce désir ardent de communier à la source de toute
vie :

« Dieu, toi, mon Dieu,
je te cherche dès l'aube,
mon âme a soif de toi,
après toi languit ma chair :
terre aride, sans eau » (Ps 63,2).

« Comme le cerf altéré
halète après l'eau vive,
ainsi mon âme languit
vers toi, mon Dieu.
Mon âme a soif de Dieu,
du Dieu vivant... » (Ps 42,2-3).

« Vers toi va le désir de mon âme... » (Is 26,8-9).

« Mon cœur et ma chair sont un cri
vers le Dieu vivant » (Ps 84,3).

Mais si l'homme biblique tend de tout son être
à s'unir au Dieu de vie, il a pleinement conscience,
à la lumière de la Parole, que Dieu a devancé son
désir. Toute l'histoire d'Israël fait éclater cette
vérité essentielle : ce n'est pas l'homme qui, le premier, tend à s'unir à Dieu ; c'est Dieu lui-même
qui, le premier, est entré en relation avec l'homme
et veut s'unir à lui ou plus précisément l'unir à lui.

Cette prise de conscience est capitale. Elle place la vie mystique dans sa vraie lumière. Le mouvement vient de Dieu. C'est lui qui a l'initiative de la rencontre. Une initiative toute gratuite. Dans cet éclairage, la vie d'union à Dieu prend sa source dans la communication que Dieu fait de lui-même à l'homme. Pascal, dans son *Mystère de Jésus*, prête au Christ ces paroles : « Tu ne me chercherais pas si tu ne m'avais trouvé. » Il serait aussi juste d'écrire : « Tu ne me chercherais pas si je ne t'avais trouvé. » On ne le dira jamais assez : le plus important dans la vie d'union à Dieu, ce n'est pas le chemin toujours incertain que l'homme peut faire vers Dieu, mais bien plutôt celui que Dieu lui-même a fait et ne cesse de faire vers l'homme. Avant tout désir de la part de l'homme, il y a la démarche amoureuse de Dieu qui veut rencontrer l'homme et se communiquer à lui. L'itinéraire de l'âme à Dieu a toujours son point de départ en Dieu. Quand l'homme se met en route, Dieu l'a déjà rejoint. Et le mouvement de l'homme n'est jamais que la prise de conscience toujours plus profonde et l'accueil toujours plus aimant de la communication de Dieu.

Malheureusement cette communication divine reste le plus souvent à l'arrière-plan de notre vision des choses. Spontanément nous sommes plus attentifs à nos efforts, à notre recherche, à notre ascension spirituelle, bref à nous-mêmes. C'est sans doute la raison pour laquelle notre vie d'union à Dieu manque de souffle et d'horizon. Nous restons centrés sur nous-mêmes : sur nos progrès ou nos échecs. La tendance à l'union se transforme alors en tension, comme s'il dépendait de nous, avant tout, que cette union se réalise ou non. Une conversion s'impose ici. Il nous faut tout d'abord apprendre à regarder, à contempler la communication que Dieu nous fait de lui-même.

Cette communication est, d'ailleurs, le cœur du message biblique et évangélique, le noyau central de la Révélation. La Parole de Dieu tend tout entière à mettre en lumière son grand dessein de se communiquer à l'homme, librement, amoureusement. A l'origine de tout ce qui existe, il y a la violence d'un amour infini qui veut se communiquer. Si Dieu a créé l'homme, c'est essentiellement afin de se donner à lui et de vivre avec lui, dans une véritable communion. En le créant à son « image et ressemblance », il l'a voulu capable de recevoir une telle communication. Le fond des choses est que nous sommes au monde pour exister divinement. Et le monde lui-même n'existe qu'à cette fin : permettre à des êtres créés de vivre de la vie divine.

Dans sa dernière conférence, le théologien allemand Karl Rahner s'interrogeait sur ce qui fait le cœur du message chrétien. Et voici sa réponse :

« On peut naturellement dire, et à juste titre, que ce cœur est Jésus de Nazareth, le crucifié et le ressuscité, de qui nous tenons après tout notre nom de chrétiens. Si c'est vrai, et si cela doit être de quelque secours, encore faut-il dire pourquoi et comment ce Jésus est quelqu'un à qui seul on peut s'en remettre dans la vie et dans la mort. Que répondre à cette question ?

« Si l'on y répondait autrement qu'en confessant que ce qui nous est assuré, offert et garanti par Jésus, et lui seul, c'est la communication que fait de lui-même le Dieu infini, par-delà toute réalité créée, par-delà tout don fini de Dieu, la réalité de Jésus qui s'en tiendrait, en elle-même et dans son annonce, au fini et au contingent, pourrait bien fonder *une* religion [...], mais non pas la religion absolue, valable pour tous les hommes.

« Ce qui est donc pour moi le cœur véritable et unique du christianisme et de son message, c'est la communication que Dieu fait réellement de lui-même à des êtres créés, en ce qui fait sa réalité et sa gloire la plus authentique ; c'est de confesser la plus invraisemblable des vérités : que Dieu lui-même, avec sa réalité et sa gloire infinie, sa sainteté, sa liberté et son amour, peut réellement et sans réduction venir à nous, en plein dans notre existence de créatures. Face à cela, tout ce que le christianisme nous offre ou nous demande d'autre est de l'ordre du provisoire ou de la conséquence secondaire[1]. »

Ce point de vue de K. Rahner, tout mystique chrétien le partage et en tire les conséquences. Si, en effet, l'objet essentiel de notre foi est la communication que Dieu veut bien nous faire de lui-même dans le Christ Jésus, la vie d'union à Dieu consiste avant tout dans l'accueil de cette communication divine. Elle est donc essentiellement une ouverture intime et profonde au don de Dieu : « Ouvre grand ta bouche, et moi je l'emplirai »

1. K. Rahner, *Expériences d'un théologien catholique*, trad. par R. Mengus, Cariscript, Paris, 1983, p. 21-22.

(Ps 81,11). « Voici, je me tiens à la porte et je frappe ; si quelqu'un entend ma voix et ouvre la porte, j'entrerai chez lui pour souper, moi près de lui et lui près de moi » (Ap 3,20).

Il ne s'agit donc pas de se tendre vers Dieu, mais de l'accueillir dans une détente intérieure toujours plus grande et plus dépouillée. On ne vise pas le soleil ; on ne cherche pas à l'atteindre ; le soleil vient à nous ; ses rayons nous touchent avant même que nous puissions le voir. « Ce n'est pas nous, écrit saint Jean, qui avons aimé Dieu, mais c'est lui qui nous a aimés... » (1 Jn 4,10). « ... Il nous a aimés le premier » (1 Jn 4,19).

Le mystique croit à cette primauté et à cette gratuité de l'amour de Dieu ; il en vit, et il n'a jamais fini d'en sonder la profondeur. « Toi qui nous as aimés le premier, ô Dieu, écrit Sören Kierkegaard. Hélas ! nous en parlons comme si tu ne nous avais aimés le premier qu'une seule fois. Alors que sans cesse, tous les jours, le long des jours et de la vie entière, tu nous as aimés le premier. Quand nous nous éveillons le matin et quand nous tournons notre âme vers toi, tu nous as aimés le premier ; et si je lève mon âme vers toi, tu me devances, tu m'as aimé le premier. Ainsi toujours. »

« Quand tu désires Dieu et d'être son enfant, écrit Angelus Silesius, il est en toi déjà. Et c'est Lui qui t'inspire. » « L'amour envers Dieu, qui se déclare en toi, est sa force éternelle, son feu, son Saint-Esprit. » On peut dire que la mission propre du mystique dans la vie de l'Église est de rappeler, par son existence, la primauté et la souveraineté de cette communication de Dieu aux hommes.

« Il est en toi déjà. » Cependant la communication que Dieu fait de lui-même à l'homme n'est jamais l'objet d'une expérience directe. On ne découvre pas sa présence en explorant l'être humain, soit sur le plan psychologique, soit sur le plan métaphysique. Il y a certes dans l'homme une ouverture à la transcendance. L'homme « est produit pour l'infinité », écrit Pascal. Augustin l'avait expérimenté : « Tu nous a faits pour toi, Seigneur, et notre cœur est inquiet jusqu'à ce qu'il repose en toi[2]. » Cela se trouve admirablement exprimé dans une hymne de *La Liturgie des heures* : « Dans le tréfonds de notre cœur, ta place reste marquée comme un grand vide, une blessure[3]... » Ce vide béant, nous pouvons tous l'éprouver. Mais rien, absolument rien, en dehors de la foi en la Parole, ne peut nous assurer ni même nous permettre de penser que le Dieu infini s'est effectivement communiqué à nous, dans sa sainteté et sa gloire, et qu'il veut nous associer à sa vie intime.

D'où cette conséquence importante : la vie d'union à Dieu, dans la mesure même où elle consiste à accueillir la communication divine, repose entièrement sur la foi en sa Parole ; et elle sera d'autant plus forte que cette foi sera plus vivante. Dans sa Lettre aux Galates, saint Paul écrit : « Ce n'est plus moi qui vis, c'est le Christ qui vit en moi » (Ga 2,20). Et il ajoute aussitôt : « Ma vie présente dans la chair, je la vis dans la foi au Fils de Dieu qui m'a aimé et s'est livré pour

---

2. *Les Confessions*, L 1, chap. 1.
3. CFC, *A la mesure sans mesure.*

moi.» Il s'agit bien d'une expérience. Mais cette expérience de communion au Christ est vécue dans la foi. Elle n'a d'autre appui que la Parole. C'est dans sa Parole que le Dieu vivant se communique à nous. La Parole n'est pas la vision. Elle fait toujours appel à la foi. Le mystique croit en cette Parole. Et il en vit.

L'auteur de la *Lettre à Diognète* écrit : « Aucun homme n'a vu Dieu ni ne l'a connu : c'est Lui-même qui s'est manifesté. Et il s'est manifesté pour la foi, qui seule a reçu le privilège de voir Dieu. Car Dieu, maître et créateur de l'univers, [...] ayant conçu un dessein d'une grandeur inexprimable, ne l'a communiqué qu'à son Enfant [...]. Mais quand il eut dévoilé par son Enfant bien-aimé, quand il eut manifesté ce qu'il avait préparé dès le commencement, il nous a tout offert à la fois : de jouir de ses bienfaits, de voir et de comprendre...»

A la foi en la Parole, il faut sans doute ajouter une grâce d'émerveillement. On peut connaître une véritable expérience mystique sans extase, mais non sans émerveillement. D'ailleurs l'extase n'est peut-être qu'un autre nom de l'émerveillement. Toute expérience mystique, toute vie d'union à Dieu, tant soit peu profonde, est une expérience émerveillante : une expérience du Dieu merveilleux dans sa communication même. Jésus disait qu'on ne peut entrer dans le Royaume de Dieu qu'avec une âme d'enfant (Mc 10,15). Nous sommes invités, par la Parole elle-même, à retrouver, dans la maturité de l'âge, l'émerveillement de l'enfant : les yeux extasiés de l'enfant devant le miracle de la Vie qui se révèle dans sa plénitude. « Nous avons contemplé sa gloire » (Jn 1,14).

Un prédicateur, plus zélé qu'inspiré, disait un jour : « Comme le don de Dieu nous est acquis et qu'il ne nous fera jamais défaut, l'important dans la vie spirituelle, ce n'est pas tant de considérer ce que Dieu fait pour nous, que de concentrer toute notre attention sur ce que nous avons à faire pour lui. » Cet homme parlait à la légère. Car seule la contemplation émerveillée du don de Dieu peut nous arracher à nous-mêmes, dilater notre cœur et nous apprendre à aimer comme Dieu aime. « Si tu savais le don de Dieu... » dit Jésus à la Samaritaine. Oui, si tu savais, ton cœur prendrait feu, ton cœur serait le Buisson ardent.

« ... Émerveillés de toi, Père, nous n'avons pour seule offrande que l'accueil de ton amour[4]. » L'émerveillement engendre la célébration, et la célébration la fête : « Il est bon de fêter notre Dieu. Il est beau de chanter sa louange » (Ps 147,1). Écoutons l'appel que la Parole nous lance : « Éveillez-vous, harpe, cithare, que j'éveille l'aurore ! » (Ps 57,9). Une lumière d'aurore, un lever de soleil dans l'âme, telle est la communication de Dieu en celui qui croit en sa Parole.

Thomas de Celano raconte que François d'Assise, en traitement à Rieti pour son ophtalmie, fit un jour cette demande à l'un de ses frères, autrefois cithariste dans le monde : « ... J'aimerais tant que tu puisses discrètement emprunter une cithare : tu me composerais de jolis chants ; ce serait pour moi un réconfort au milieu de mes souffrances. » Le frère lui répondit : « Père,

---

4. *La Liturgie des heures*, CFC.

j'aurais honte d'aller demander cela ; les gens croiraient que je cède à une tentation de frivolité. »
— « Eh bien, n'en parlons plus », dit François. La nuit suivante, il veillait et pensait au Seigneur quand une cithare fit entendre soudain un son merveilleux et fila une délicieuse mélodie. C'était la plus belle musique qu'il eût jamais entendue. On ne voyait personne, mais on pouvait suivre au son les allées et venues du cithariste. L'écouter était un tel bonheur, un tel ravissement que François se trouvait comme transporté dans l'autre monde. Au matin, il raconta à son compagnon l'aventure de la nuit et ajouta : « Privé de musique humaine, j'en ai entendu une plus agréable encore[5]. »

Cette musique, sans visage, sans paroles, dans le silence de la nuit, est celle d'une Présence qu'il faut se garder de nommer. Lui donner un nom serait l'abîmer. Car son vrai nom est Merveilleux.

5. 2 C 126. Cf. *Saint François d'Assise, op. cit.*, p. 431-432.

2. Au commencement était la relation

Nul homme ne peut prétendre s'unir à Dieu. Mais Dieu, dans son infinie bonté, a voulu nous unir à lui. Qui donc est Dieu pour nous aimer ainsi ? Le propre de Dieu serait-il de se répandre ? Sa gloire essentielle de se communiquer ? Le flot de la vie divine vient à nous pour nous prendre avec lui. Tournons notre regard vers ce grand dessein d'amour où Dieu se dit tout entier. Prêtons l'oreille, écoutons « le torrent qui se précipite vers sa Source » (Claudel).

Tout au long de l'histoire d'Israël s'affirme la volonté de Dieu de rencontrer l'homme, d'entrer en relation d'amitié avec lui, de faire alliance avec son peuple. Déjà, dans la révélation mosaïque, Yahvé se manifeste, non seulement comme l'Être suprême, subsistant en soi (« Je Suis »), mais aussi et surtout comme une Personne vivante, tournée vers d'autres personnes et en relation avec elles. Il se définit lui-même par la relation. A Moïse qui demande son nom, il répond : « Tu diras aux fils d'Israël : le Seigneur, Dieu de vos pères, Dieu d'Abraham, Dieu d'Isaac, Dieu de Jacob, m'a envoyé vers vous. C'est là mon nom à jamais, c'est ainsi qu'on m'invoquera d'âge en âge... » (Ex 3,15). « Je suis le Dieu de tes pères, le Dieu d'Abraham, le Dieu d'Isaac et le Dieu de Jacob » (Ex 3,6).

Là est sans doute le message le plus original et le plus étonnant de la Bible hébraïque, la différence essentielle entre le Dieu de Moïse et celui des philosophes de l'Antiquité. Ce message sera repris et développé par les prophètes : le Dieu unique et tout-puissant, créateur de tout ce qui existe, est avant tout le Dieu de la relation, le Dieu de l'alliance.

Cette dimension relationnelle du mystère divin prend un relief de plus en plus marqué au fur et à mesure que se déroule l'histoire d'Israël et que se développe la Révélation. Le lien que Dieu noue avec son peuple s'approfondit, s'intériorise. Il se révèle comme un lien d'intimité, un lien d'amour : « D'un amour éternel, je t'ai aimé » (Jr 31,3).

Certes, Israël ne se montre pas particulièrement empressé à répondre à une telle avance. Combien de fois Dieu lui reproche-t-il sa froideur et ses infidélités ? Mais ces reproches eux-mêmes disent à quel point Yahvé s'est lié à son peuple : « Quand Israël était enfant, je l'aimai ; et de l'Égypte j'appelai mon fils. Mais plus je les appelais, plus ils s'écartaient de moi. Ils sacrifiaient aux Baals... Et moi, pourtant, j'apprenais à marcher à Éphraïm, je le prenais par les bras, et ils n'ont pas compris que je prenais soin d'eux ! Je les menais avec de douces attaches, avec des liens d'amour ; j'étais pour eux comme celui qui soulève un nourrisson tout contre sa joue, je me penchais vers lui et le faisais manger... » (Os 11,1-4). Malgré toutes les infidélités de son peuple, Dieu maintient son lien d'amour. Il se propose même de le renforcer : « En ce jour-là... je te fiancerai à moi pour toujours ; je te fiancerai dans la justice et le droit, dans la tendresse et l'amour ; je te fiancerai à moi dans la fidélité, et tu connaîtras Yahvé » (Os 2,21-22). Il s'agit bien là d'une promesse d'union totale et définitive.

Au regard de la foi chrétienne, cette promesse a trouvé son accomplissement, au-delà de toute attente, dans la venue et la personne de Jésus de Nazareth, en qui Dieu s'est uni à notre humanité d'une manière incomparable. En approfondissant cette relation unique entre Dieu et l'homme, en Jésus le Christ, la communauté chrétienne a pris conscience de trois choses essentielles. La première est que, dans le Christ Jésus, Dieu s'est communiqué pleinement : cet homme est véritablement le Fils unique en qui « habite corporellement toute la plénitude de la Divinité » (Col 2,9). La deuxième est que cette plénitude de vie divine déborde sur toute l'humanité : « Oui, de sa plénitude nous avons tous reçu, et grâce sur grâce » (Jn 1,16) ; nous sommes tous « associés à sa plénitude » (Col 2,10). « Dieu a envoyé son Fils unique dans le monde afin que nous vivions par lui » (1 Jn 4,9). Enfin, la conscience chrétienne méditante a compris que le don du Fils unique au monde ouvrait un jour nouveau sur le mystère éternel de Dieu. Ce don faisait voir en Dieu quelque chose d'absolument caché jusqu'alors. En Dieu même, il y a la relation : une communication essentielle. L'Incarnation ne donne pas un Fils à Dieu, mais elle révèle au monde le Fils éternel ; elle le révèle en le donnant : « Dieu a tant aimé le monde qu'il a donné son Fils unique... » (Jn 3,16).

Cette révélation du Fils éternel fait éclater l'idée de Dieu, communément admise dans le milieu juif. Ce Dieu que personne n'a jamais vu, voici que « le Fils unique qui est dans le sein du Père l'a fait connaître » (Jn 1,18). Le Dieu unique n'est pas un Dieu solitaire, « assis sous son arbre d'éternité ». Au sein même de la divinité, il y a une communication essentielle, éternelle. Une communication de vie. Il n'y a pas d'abord Dieu, et ensuite la communication. Dieu est cette communication. Il est communion en son être même.

La manifestation du Fils vient en effet nous révéler en Dieu un mystère éternel d'amour. Or il n'y a d'amour véritable que si l'amour va vers un autre. Dieu vit cela en plénitude et de toute éternité, en sa vie trinitaire. Chaque personne divine est relation à l'autre, don de soi à l'autre. Le Père n'existe qu'en se communiquant pleinement au Fils. Le Fils, lui, n'existe que reçu du Père et tourné vers lui. Et le lien qui les unit tous deux est l'Esprit. Aucune personne divine ne se garde pour elle-même ; aucune ne s'approprie jalousement la divinité. Toutes trois n'existent que dans la relation : dans le don total de soi. « Dans la divinité véritable, chaque personne est si généreuse qu'elle ne veut posséder aucun bien, aucune joie, sans vouloir la communiquer[1]... » Ainsi la réalité divine est tout entière un mystère de communication. Et la révélation que Dieu nous fait de lui-même, en donnant au monde son Fils unique, nous renvoie à ce mystère éternel.

Dans son *Itinéraire de l'âme à Dieu*, saint Bonaventure, considérant que la bonté est de soi portée à la communication, fait remarquer que la Bonté infinie appelle une communication infinie : « Le souverain Bien, écrit-il, cesserait d'exister, s'il pouvait être, de fait ou de droit, privé de cette communication. » Or « la communication que Dieu fait de lui-même dans le temps à la créature n'est qu'un point ou un centre dans l'immensité de la Bonté éternelle ». C'est donc en Dieu lui-même que se réalise la communication infinie : dans le mystère de la vie trinitaire.

Rien n'est plus important, sans doute, pour notre vie d'union à Dieu, que de nous arrêter à contempler ce mystère. Nous sommes ici à la source. Et la communication que Dieu nous fait gracieusement de lui-même, dans le temps, en son Fils Jésus-Christ, porte, elle aussi, la marque trinitaire. Il ne faut pas s'en étonner : elle jaillit du

1. Richard de Saint-Victor.

29

sein de la Trinité, elle n'est autre chose que la vie trinitaire elle-même qui se communique à nous ; et elle n'a d'autre fin que de nous associer nous-mêmes à la communion trinitaire : « Notre communion est avec le Père et avec son Fils Jésus-Christ » (1 Jn 1,3). Et cette communion, nous la vivons dans l'Esprit : « La grâce du Seigneur Jésus Christ, l'amour de Dieu, et la communion de l'Esprit Saint soient avec vous tous », écrit saint Paul aux chrétiens de Corinthe (2 Co 13,13).

Par le baptême, au nom du Père, du Fils et du Saint-Esprit, nous sommes en effet plongés, immergés, dans ce mystère de relation qu'est Dieu même. Notre vie d'union à Dieu, dans la mesure où elle est accueil de la vie divine, en épouse le mouvement trinitaire : comme le Père vient à nous par le Fils, dans l'Esprit, nous allons vers le Père, par le Fils, dans l'Esprit.

« La Trinité divine, écrit Maurice Zundel, c'est le grand joyau de l'Évangile. C'est le grand secret d'amour, la découverte la plus merveilleuse. » Hélas ! la présentation qui en est faite, bien souvent, nous la rend si lointaine, si abstraite. Le mystère du Dieu unique en trois personnes devient une sorte de théorème mathématique étrange, alors qu'il est le cœur même de notre vie d'union à Dieu. Il s'offre à nous comme une vie merveilleuse à la fois intime et infinie. « Ce que l'œil n'a pas vu, écrit saint Paul, ce que l'oreille n'a pas entendu, ce qui n'est pas monté au cœur de l'homme, tout ce que Dieu a préparé pour ceux qui l'aiment, c'est à nous qu'il l'a révélé par l'Esprit. Car l'Esprit sonde tout, même les profondeurs de Dieu... » (1 Co 2,9-10).

Ajoutons ceci : dans la mesure où nous entrons dans ces profondeurs, par l'adoration et la louange, nous en recevons une lumière qui vient éclairer les racines de notre être humain lui-même. Nous pouvons dire, en vérité, comme le Psalmiste : « Dans ta lumière, nous voyons la lumière » (Ps 36,10). Créé à l'image de Dieu, l'homme est aussi un être de relation. Il ne naît vraiment à lui-même et ne s'accomplit que dans la relation à autrui. Pas dans n'importe quelle relation, mais seulement dans celle qui respecte et accueille l'autre, dans sa vérité : une relation qui a pour l'autre un « regard plein d'égards », qui le considère comme un être unique, comme une personne ayant une dignité propre, inaliénable. Ainsi l'homme, en même temps qu'il naît à la vie divine, naît aussi à lui-même, en reproduisant le mystère trinitaire. L'échec de la plupart de nos relations vient de ce que notre regard ne s'ouvre pas vraiment sur l'autre, et aussi de ce que l'autre, de son côté, nous ignore dans notre réalité personnelle. On rêve d'une unité fusionnelle qui abolirait toute différence, toute dualité, toute altérité. On croit aimer en ne voulant plus faire qu'un. En vérité, on veut ramener l'autre à soi. La vraie communion interpersonnelle ne peut exister que dans la reconnaissance et l'accueil de l'autre dans ce qu'il a d'unique, comme au sein de la Trinité divine. Il s'agit d'aimer avec un cœur de pauvre. Ne rien vouloir posséder, même en amour, surtout en amour, tel est le secret de la vie divine.

Au commencement est la relation. En Dieu comme en chacun de nous. Et au fond, c'est le même mystère d'amour. Un même mystère de pauvreté et de communication.

« Tu es le Dieu éternel, l'Unique, l'Incréé,
Trinité sainte dans le Fils et l'Esprit...

Tu m'as séduit par ta beauté,
par ton amour tu m'as blessé,
tout entier tu m'as transformé.

Ta beauté m'a saisi et je suis stupéfait,
O Trinité mon Dieu...

Que de mes yeux je voie ta gloire,
moi qui chaque jour la proclame en paroles[2].... »

2. Saint Syméon le Nouveau Théologien (1022).

3. Création ardente

« *Il est l'Image du Dieu invisible,*
Premier-né de toute créature,
car c'est en lui que toutes choses
ont été créées,
dans les cieux et sur la terre,
les visibles et les invisibles... »
Colossiens 1,15-16.

Si la vie d'union à Dieu n'est autre chose que la vie même de Dieu-Trinité, se communiquant à nous en Jésus-Christ, nous devons arrêter notre regard sur cette merveilleuse communication, et découvrir, dans la joie de la contemplation, Celui par qui elle nous vient.

Dans *Le Maître de Santiago*, Henri de Montherlant fait dire à Alvaro : « Dieu ne veut ni ne cherche : il est l'éternel calme. C'est en ne voulant rien que tu refléteras Dieu[1]. » Ce n'est pas ainsi que la Bible nous présente Dieu. Le Dieu de la Parole est

1. Acte III, scène V.

33

un Dieu créateur. Ce Dieu-là agit, il se lève avant l'aube. Mais non pas avant l'homme. Car l'homme est son matin, sa première pensée et son plus haut dessein.

La communication éternelle et infinie que Dieu fait de lui-même, au sein de la Trinité, suffisait pleinement à son bonheur et à sa gloire. L'amour infini trouve son accomplissement et sa pleine satisfaction dans cette communication souveraine, essentielle. La seule béatitude, à la mesure de Dieu, est d'engendrer son Fils éternellement. Mais la Trinité bienheureuse voulut partager son bonheur : elle conçut le dessein de se répandre « au-dehors », de se communiquer « hors de soi », en créant librement, gracieusement, des êtres qu'elle associerait à son mystère d'amour et à sa joie : à la grande joie divine d'exister. Une multitude d'êtres pourraient ainsi participer à la fête éternelle que Dieu se donne dans la naissance du Fils bien-aimé. Exubérance de l'amour infini. De là est sorti le monde. De là, en premier, a surgi l'homme.

Le monde, en effet, découle de ce grand dessein : permettre à des êtres distincts de Dieu de naître à sa vie intime et de communier à son amour et à son bonheur. Ces êtres ne pouvaient surgir que dans un univers, et c'est pourquoi l'univers a surgi. L'amour créateur, dans son intention première, est un amour divinisant. Dieu crée pour se communiquer. La pensée du Créateur va donc en premier vers cet être qu'il veut associer à sa vie et à sa joie : l'homme, « la contemplation divine du septième jour ».

Qui chantera cette aurore de feu ? Qui l'osera

dans un monde qui bien souvent nous fait mal à crier ? Qui changera notre détresse en un regard d'émerveillement ? Il nous faut remonter le cours de la lumière, jusqu'à cette aurore plus ancienne que toutes les nébuleuses, jusqu'à cette flamme première jaillie de la Trinité sainte.

Si l'intention de Dieu, en lançant le monde, est de se communiquer, la première créature voulue ne peut être que celle en laquelle il va pouvoir réaliser en plénitude son merveilleux dessein, c'est-à-dire l'Homme-Dieu. Considérer la communication de Dieu « hors de soi », comme le ressort et la finalité de son action créatrice, conduit tout naturellement à reconnaître la primauté de l'Homme-Dieu dans la création de l'univers.

Ainsi, le Christ, l'Homme-Dieu, se trouve être le premier voulu, étant celui en qui s'accomplira en plénitude la communication divine. C'est lui vraiment la splendeur du premier matin. Non seulement il est au commencement de tout, mais plus radicalement encore c'est parce qu'il est voulu qu'il y a un commencement. Il est la lumière à laquelle viennent s'allumer toutes les étoiles :

> « C'est lui qui pour toi fit éclore,
> C'est lui qui devant toi chantait
> L'aurore,
> Quand il n'était pas d'homme encore
> Pour avoir part à sa beauté[2]. »

2. La Tour du Pin, CNPL.

Dans sa Lettre aux Colossiens, saint Paul affirme avec force cette primauté du Christ : « Il est l'Image du Dieu invisible, Premier-né de toute créature, car c'est en lui qu'ont été créées toutes choses, dans les cieux et sur la terre, les visibles et les invisibles, Trônes, Seigneuries, Principautés, Puissances ; tout a été créé par lui et pour lui. Il est avant toutes choses, et tout subsiste en lui... Car Dieu s'est plu à faire habiter en lui toute la Plénitude...» (Col 1,15-17 ; 1,19).

Le Christ Jésus est voulu, non seulement avant toute autre créature, mais aussi comme celui en qui et pour qui tout est appelé à l'existence. Et la raison de cette primauté est précisément qu'en lui la communication de la vie divine à la créature trouve son accomplissement : « En lui habite corporellement toute la Plénitude de la Divinité...» (Col 2,9).

Cette primauté du Christ dans la création est une donnée explicite de l'Écriture et, par conséquent, de la foi chrétienne. Nous avons à la recevoir comme telle. « La vision de la création dans le Christ, écrit G. Martelet, est paulinienne et ne relève d'aucune ''école'' particulière [...]. Il est important qu'on sorte, sur une affirmation aussi centrale, des perspectives de ''système'' thomiste ou scotiste et qu'on regarde en face l'enjeu que ce point du message représente pour l'évangélisation de notre temps[3]. »

3. G. Martelet, *Libre Réponse à un scandale : la faute originelle, la souffrance et la mort*, note p. 150, Le Cerf, 1986.

L'enjeu, c'est notre vision de Dieu et de son dessein créateur et divinisant. Voulant se communiquer pleinement hors de lui-même et associer à sa vie et à sa joie des êtres distincts de lui, Dieu a voulu, avant toute chose, l'humanité divine du Christ. Il l'a aimée d'une préférence d'excellence, la voulant en telle façon qu'elle soit vraiment l'humanité du Fils éternel.

Dans son *Traité de l'amour de Dieu*, saint François de Sales a écrit sur le sujet une page très forte :

« ... Considérant qu'entre toutes les manières de se communiquer il n'y avait rien de si excellent que de se joindre à quelque nature créée, en telle sorte que la créature fût comme entée sur la Divinité et insérée en elle, pour ne faire avec elle qu'une seule et même personne, son infinie bonté qui, de soi-même et par soi-même, est portée à la communication, se résolut et se détermina à en faire une de cette manière ; afin que, comme éternellement il y a une communication essentielle en Dieu, (...) de même cette souveraine douceur fut aussi communiquée si parfaitement hors de soi à une créature, que la nature créée et la divinité, gardant chacune leurs propriétés, fussent néanmoins tellement unies ensemble qu'elles ne fussent qu'une même personne.

« Or, entre toutes les créatures que cette souveraine toute-puissance pouvait produire, elle trouva bon de choisir cette même humanité, que depuis en effet elle unit à la personne de Dieu le Fils, et à laquelle elle destina cet honneur incomparable de l'union personnelle à sa divine majesté, afin qu'éternellement elle jouît par excellence des trésors de sa gloire infinie[4]. »

4. François de Sales, *Traité de l'amour de Dieu*, Livre II, chap. 4.

Toute l'action créatrice est donc orientée, dès le départ, vers cet instant unique où Dieu, en la personne du Fils éternel, s'unirait à l'humanité de Jésus, dans le sein de la Vierge Marie. Quand Dieu lance la création, quand il crée l'homme à son image, il a en vue le Christ, son Image parfaite, le « resplendissement de sa gloire », en qui doit se réaliser la plénitude de la communication divine au monde. « Tu m'as aimé avant la création du monde », dira Jésus dans l'évangile de Jean (Jn 17,24b).

Certes, dans l'ordre de l'exécution de ce grand dessein, c'est l'univers matériel qui a été formé en premier. Puis, quand les conditions furent réunies, la vie est apparue sur notre planète. Et la vie, en se développant, a donné naissance à des organismes de plus en plus complexes et de plus en plus conscients et libres. De cette longue évolution a émergé l'homme. Enfin, dans notre histoire humaine, quand « les temps furent accomplis », et « en ces jours qui sont les derniers », comme dit la Lettre aux Hébreux, est « né d'une femme » Celui « en qui habite corporellement toute la Plénitude de la Divinité », Jésus de Nazareth, vrai homme et vrai Dieu.

Comme le fait remarquer saint François de Sales, on ne plante la vigne que pour son fruit ; celui-ci est le premier désiré, bien qu'il n'apparaisse qu'après les feuilles et les fleurs. De même le Christ, bien qu'il soit venu dans les derniers temps, fut le premier voulu dans l'intention divine. Et c'est « en vue de ce fruit désirable que fut plantée la vigne de l'univers[5]». Dieu aime les lointaines préparations et les lentes germinations. C'est ainsi qu'il se hâte. La création tout entière, dès le premier instant, est une christogenèse, un enfantement de l'Homme-Dieu, une Nativité au sens plénier du mot.

« Les prodigieuses durées qui précèdent le premier Noël, écrit Teilhard de Chardin, ne sont pas vides du Christ, mais pénétrées de son influx puissant. C'est l'agitation de sa conception qui remue les masses cosmiques et dirige les premiers courants de la biosphère. C'est la préparation de son enfantement qui accélère les progrès de l'instinct et l'éclosion de la pensée sur terre.»

L'élan formidable qui soulève le monde et se déploie dans les immensités sidérales comme aussi dans l'éclosion et le jaillissement de la vie, toute cette longue histoire cosmique, biologique et enfin humaine n'a qu'un but : la communication plénière de Dieu hors de lui-même. La matière avec ses énergies, la vie avec ses organismes de plus en plus complexes, l'émergence de la conscience, de la pensée et de la liberté, tout cela a été voulu pour aboutir à l'Homme-Dieu ; tout cela a été orienté dès le départ vers l'avènement d'une humanité à laquelle Dieu se communiquerait en plénitude dans la personne du Fils éternel.

Mais, si le Christ est le premier voulu, comme étant la réalisation parfaite de la communication divine, Dieu a résolu de ne pas retenir sa bonté en

5. François de Sales, *Traité de l'amour de Dieu*, Livre II, chap. 5.

la seule personne de ce Fils bien-aimé, mais de la répandre en sa faveur sur une multitude d'êtres, en les associant à la grâce filiale : il créa les anges et les hommes, comme pour tenir compagnie à son Fils, leur donnant de participer à sa plénitude. « ... Il les destina à reproduire l'image de son Fils, afin qu'il soit l'aîné d'une multitude de frères » (Rm 8,29). Ainsi, « il nous a choisis, dans le Christ, dès avant la création du monde, pour être saints et sans péchés en sa présence, dans l'amour ; il a décidé d'avance que nous serions, pour lui, des fils adoptifs par Jésus le Christ. Tel fut le dessein de sa bonté, à la louange de gloire de sa grâce, la grâce qu'il nous a faite dans le Fils bien-aimé... » (Ep 1,4-6).

Le Christ, l'Homme-Dieu, réalisation plénière et surabondante de la communication de Dieu à la créature, devient donc, pour l'humanité entière, la source jaillissante de la vie divine : « De sa Plénitude, nous avons tous reçu, grâce sur grâce... » (Jn 1,16). « ... Vous vous trouvez en lui associés à sa Plénitude... » (Col 2,10).

Saint Léon, le théologien de l'Incarnation, écrit : « Il n'y a pas de doute, mes bien-aimés : en prenant la nature humaine, le Fils de Dieu s'y est uni très étroitement ; au point que non seulement chez cet homme qui est le premier-né de toute créature, mais encore chez tous les saints, ce n'est qu'un seul et même Christ ; et comme on ne peut séparer la tête de ses membres, on ne peut pas non plus séparer les membres de leur tête. » C'est donc à tout le corps, et à chaque homme en particulier, que Dieu dit : « Tu es mon Fils bien-aimé ; en toi, je trouve toute ma joie. »

Reconnaissons-le : ce n'est pas ainsi que l'Incarnation est présentée le plus souvent. On considère généralement le Christ, l'Homme-Dieu, avant tout comme le réparateur de la faute, comme celui qui est venu après coup pour réconcilier l'homme pécheur avec Dieu. Certes, dans notre histoire, telle qu'elle s'est déroulée, le Christ s'est vu confier la mission de sauver ce qui était perdu. Il est venu dans un monde de péché où il a ouvert un chemin de réconciliation. Mais ceci ne doit pas nous faire oublier le dessein premier de l'Amour créateur. L'alliance de réconciliation s'enracine dans une alliance première, originelle : une alliance inspirée par un amour qui ne se mesure pas d'abord au fait qu'il nous sauve quand nous péchons, mais plus radicalement au fait qu'il nous crée pour une communication de vie divine, dont le Fils incarné, premier-né de toute créature, révèle à tout jamais la profondeur et le visage[6].

L'alliance de réconciliation ne doit donc pas nous cacher l'alliance première de divinisation, qui était et qui reste l'inspiration fondamentale du Créateur. La Rédemption reprend et accomplit, dans une situation de péché, cette alliance originelle, rompue mais non abolie. « ... Ce n'est pas seulement depuis que nous sommes réconciliés par le sang de son Fils, que Dieu a commencé à nous aimer, écrit saint Augustin : il nous a aimés avant la création du monde, afin que nous puissions devenir ses enfants avec son Fils unique[7]. » « Cette

6. Voir Martelet, *op. cit.*, p. 147.
7. Sur l'évangile de saint Jean, CX, 5-6.

grâce, dit saint Paul, nous avait été donnée avant tous les siècles dans le Christ Jésus. Et maintenant elle s'est manifestée par l'apparition de notre Sauveur le Christ Jésus...» (2 Tm 1,9-10). Il y a donc un renversement complet à opérer dans notre manière de concevoir le Christ et de le contempler. L'Homme-Dieu n'a pas été voulu après coup, simplement pour réparer la faute. Il n'est pas un ajout accidentel à la création, à la suite du péché de l'homme. Il n'a pas été parachuté, en catastrophe, dans un univers conçu et construit sans lui. Il est le premier voulu, celui en qui et pour qui tout le reste est créé. Il est lui-même le chef-d'œuvre de la création, l'expression la plus haute, la plus réussie de l'amour créateur et divinisant, précisément parce qu'il est la réalisation plénière de la communication de Dieu hors de lui-même. Il est « l'œuvre de feu de l'amour ineffable, jaillie de la Trinité elle-même». Et, comme tel, le Christ est le sens premier et ultime de l'univers. A son éclat, toute la création s'illumine et apparaît comme une histoire divine.

Cette vision grandiose du dessein créateur donne toute sa dimension à notre vie d'union à Dieu. Celle-ci, en effet, ne se déroule pas en dehors ni même simplement à côté de la vie de l'univers. Elle ne constitue pas une sphère à part. La vie surnaturelle n'est pas un ornement de luxe, et facultatif, de la vie humaine. Elle est la réalité profonde de l'homme. L'univers n'existe, en définitive, que pour une communication de vie divine dont la plénitude nous est offerte dans le Premier-né de toute créature. Et c'est seulement dans la participation à cette plénitude que l'homme atteint toute sa taille et trouve son véritable accomplissement, en s'ouvrant lui-même à l'amour créateur et divinisant qui a lancé le monde.

Autre conséquence importante de cette vision : si la fonction première du Christ est de glorifier Dieu en faisant éclater la communication divine, en lui-même et dans toute l'humanité, l'acte du croyant est d'abord l'adoration et la contemplation émerveillée de ce chef-d'œuvre de l'amour créateur et divinisant, l'action de grâce devant cette plénitude qui s'offre à nous dans le Christ. « Si tu savais le don de Dieu... », disait Jésus à la Samaritaine. Nous croyons le connaître, ce Don jailli des profondeurs de Dieu. Mais nous n'aurons jamais fini d'en découvrir « la largeur, la longueur, la hauteur et la profondeur », pour reprendre les termes de saint Paul. C'est en contemplant, dans la louange, cet amour qui dépasse toute connaissance que nous entrons nous-mêmes dans la Plénitude de Dieu.

On connaît l'ultime message du livre de Lévi-Strauss, *Tristes Tropiques* : « Le monde a commencé sans l'homme et il s'achèvera sans lui. » Perspective bien triste, sans espérance. L'aventure humaine sur la terre se voit réduite à un accident tardif, éphémère et dérisoire, au regard de l'immensité cosmique. Un grain de conscience qui, à peine envolée, retombe aussitôt pour disparaître à tout jamais. La perspective que la Révélation ouvre devant nous a un autre souffle. Elle nous fait vibrer au souffle créateur lui-même. Le monde a commencé dans une extase divine, dans un élan d'amour et de communication, tout orienté vers la création de l'Homme-Dieu. Et il s'achèvera dans la plénitude de ce Fils d'homme.

Descartes écrit dans ses *Cogitationes privatae* : « Dieu a fait trois merveilles : le monde des choses à partir de rien, la liberté, l'Homme-Dieu » (*Deus fecit tria mirabilia : res ex nihilo, liberum arbitrium, hominem Deum*[8]). Le philosophe de l'idée claire et distincte voyait ces trois choses séparément, sans lien entre elles. En réalité, elles se tiennent toutes les trois et forment un seul et même dessein. C'est ce dessein qui est vraiment admirable. L'Homme-Dieu est voulu en premier, et, en fonction de lui, tout le reste. Il est, lui, le sens de la création entière. Et c'est pourquoi celle-ci est une montée vers la liberté : vers l'apparition d'êtres de plus en plus capables d'accueillir une communication de vie divine et d'entrer dans le jeu de l'amour créateur et divinisant. « Tout est à vous, mais vous êtes au Christ, et le Christ est à Dieu » (1 Co 3,22-23).

> « Père du premier mot
> Jailli dans le premier silence
> Où l'homme a commencé,
> Entends monter vers toi,
> comme en écho,
> Nos voix
> Mêlées aux chants que lance
> Ton Bien-Aimé. »

Didier Rimaud, CNPL.

---

8. Alquié, *Descartes*, p. 144.

4. Les ténèbres
ne l'ont pas arrêté

Dieu ne pouvait communiquer sa vie à l'homme sans l'appeler à la liberté. Seul un être libre peut être l'objet d'une telle communication. Quel sens aurait le don de Dieu s'il n'était reçu librement ? Que serait une communion sans réciprocité ? En nous destinant à participer à sa propre vie trinitaire, dans le Fils bien-aimé, Dieu nous a donc appelés à la « liberté des fils ». Mais créer un être libre, c'est lui donner la possibilité de choisir lui-même son destin, et donc aussi de refuser l'offre qui lui est faite.

L'homme a choisi effectivement. Usant de sa liberté, il a préféré tracer sa route lui-même, être le maître de son destin, être Dieu par lui-même. Il a écouté le Tentateur : « Vos yeux s'ouvriront, et vous serez comme des dieux » (Gn 3,5). On est très mal renseigné, à vrai dire, sur ce qui s'est passé à l'origine de l'humanité. Le récit de la Genèse sur la faute originelle est un récit hautement symbolique. Il nous apprend qu'il y a eu rupture d'alliance entre l'homme et son Créateur. Mais ce récit ne nous informe pas sur les modalités concrètes, historiques, de la rupture. En vérité, nous sommes devant un mystère.

Une chose est sûre ; elle s'impose avec une évidence criante : l'histoire de l'humanité, aussi loin que l'on remonte dans le temps, présente un caractère tragique. Aucune trace d'un âge d'or, si ce n'est dans l'imaginaire des peuples. L'homme a bien conservé dans son cœur une étincelle de la bonté divine, qui lui fait aspirer à un univers de communion, mais il se révèle manifestement incapable de réaliser par lui-même cette communauté fraternelle et universelle. Il apparaît comme un être blessé, déchiré, aussi bien dans sa vie personnelle que dans sa vie sociale.

L'histoire humaine, en son fond, c'est *Babel*. La *Tour de Babel* est le symbole biblique d'une volonté prométhéenne d'unité et de puissance, qui tourne à la confusion et à la dispersion. Le *meurtre d'Abel* et la *Tour de Babel* sont les deux grandes images prophétiques de l'histoire humaine. Celle-ci se déroule comme une suite de luttes fratricides où des systèmes clos s'affrontent et se disputent la puissance. Tout se passe comme si la capacité divine d'aimer, qui est dans l'homme, s'était transformée en une force monstrueuse de domination et d'exclusion.

Parfois, il est vrai, une heureuse surprise : un souffle messianique de paix et de fraternité se lève et semble remettre les hommes sur le chemin de la détente et de l'entente. On se prend à espérer. On dresse des arbres de paix. Et puis, soudain, le vent tourne, et c'est à nouveau la turbulence, la tempête. La paix que l'on croyait éternelle n'était qu'un conflit en sommeil. Les antagonismes réapparaissent. Les exclusions aussi. C'est la retombée dans le déchirement, avec son cortège de haines et de cruautés.

Devant ce déferlement, « Dieu, dit la Bible, s'est repenti d'avoir fait l'homme sur la terre et il s'affligea dans son cœur » (Gn 6,6). Il pouvait arrêter la tragédie, renoncer à son grand dessein et tout réduire à néant. Mais Dieu n'est pas un homme. Ses pensées ne sont pas nos pensées : « Je suis Dieu, et non pas homme... Je n'aime pas à détruire » (Os 11,9). L'Amour qui a créé le monde et qui a voulu la création pour se communiquer à des êtres distincts de lui ne pouvait renoncer à ce projet tout orienté vers la venue du « Premier-né de toute créature ». Dieu vit la détresse des hommes. Et cette détresse fit naître en lui un amour nouveau : un amour de compassion et de miséricorde. Et qui peut dire la violence de cet amour ? Dieu décida de sauver ce qui était perdu.

Non, le Créateur ne renoncerait pas à son grand dessein. Il se communiquerait pleinement à celui qu'il avait voulu et aimé avant toutes choses et qu'il appelait de tous ses vœux, comme sa joie, son bonheur et sa glorification. Mais il confierait à ce Fils bien-aimé la mission de sauver ses frères en humanité, de les arracher au chaos, à la haine et à la mort, et de les replonger dans le courant de l'amour créateur et divinisant, pour qu'eux aussi puissent vivre et jouir de la vie divine, en participant à sa Plénitude. En même temps qu'il se communiquerait pleinement à lui, il mettrait donc dans son cœur d'homme son propre amour miséricordieux pour l'homme perdu ; il lui donnerait son propre regard miséricordieux sur l'homme égaré. Bref, il ferait de son Fils bien-aimé la révélation humaine de l'Amour rédempteur.

Le Fils unique est donc venu dans notre monde désuni et déchiré. Il est venu comme prévu, mais non dans l'éclat attendu. « Jésus-Christ, écrit Pascal, dans une obscurité (selon ce que le monde appelle obscurité) telle que les historiens, n'écrivant que les importantes choses des États, l'ont à peine aperçu. » « La grandeur qu'il venait faire paraître » était d'un autre ordre. Refusant d'emblée tout rôle politique, repoussant toute tentation de pouvoir ou de richesse, il s'est présenté comme le serviteur de tous, comme le messager d'un règne de l'amour. Toute son ambition était de révéler et d'actualiser la tendresse de Dieu dans notre univers impitoyable.

Le Christ ne pouvait sauver l'humanité qu'en l'ouvrant à nouveau à l'élan originel qui avait présidé à la création du monde. Il s'efforça donc de montrer aux hommes, tant par ses actes que par ses paroles, que vivre, au sens plein du mot, c'était aimer, que l'amour vient de Dieu, qu'il est la vie même de Dieu, et qu'en aimant nous vivons nous-mêmes de la vie divine. Cette vie divine s'offrait à l'homme. Elle seule pouvait l'arracher à la haine, à la division et au déchirement ; elle seule pouvait lui donner toute sa taille, toute sa grandeur, en l'ouvrant à une communion infinie. L'essentiel du message de Jésus est là : « Dieu est Amour » (1 Jn 4,8.16). Et l'amour est communication, don de soi. Dieu veut se communiquer à l'homme, généreusement, gratuitement, en lui donnant d'aimer comme il aime. L'amour qui consume Jésus et qui se manifeste dans toute sa vie, ce n'est pas seulement, en effet, l'amour d'un homme pour ses semblables ni non plus l'amour d'un homme pour Dieu. C'est proprement l'amour de Dieu pour tous les hommes. En lui, par lui, Dieu aime tous les hommes et veut se communiquer à tous.

Ce message, Jésus le délivre à partir de ce qu'il vit lui-même dans sa relation intime à Dieu. Il se sent pris, porté par cet amour qui vient du Père. C'est un flot de vie qui l'envahit et qui, à travers lui, cherche à se répandre sur toute l'humanité. Le Père s'est communiqué à lui pleinement. Et le désir le plus ardent du Fils est de partager cette plénitude avec ses frères en humanité : « Je suis venu pour qu'ils aient la vie, et la vie en surabondance » (Jn 10,10). « Comme le Père a la vie en lui, de même a-t-il donné au Fils d'avoir aussi la vie en lui-même... » (Jn 5,26). Et cela, afin qu'il la communique à tous les hommes et que « quiconque croit en lui ne se perde pas, mais ait la vie éternelle » (Jn 3,16).

On sait l'accueil que reçut un tel message de la part des responsables religieux. Ce fut d'abord la méfiance, puis rapidement une franche hostilité. Jésus n'entrait pas dans leurs catégories. Il ne se plaçait pas dans la logique de la loi. Non qu'il méprisât la loi — il en rappelait avec force les exigences essentielles — mais manifestement sa perspective n'était pas la justice selon la loi. Il n'était pas venu juger, encore moins condamner, au nom de la loi, mais sauver ce qui était perdu, guérir, donner la vie, la faire surabonder. A ses yeux, il y avait quelque chose qui précédait la loi. Quelque chose d'immense et d'absolument gratuit. C'était la volonté tout aimante de Dieu de communiquer sa propre vie à tous les hommes, en son Fils bien-aimé. Voilà ce qui était au commencement de tout, bien avant la loi, avant même la création du monde. Ce dessein bienveillant, jailli tout droit du cœur de Dieu, avait présidé à la création. A cela, il n'y avait aucun préalable. C'était un don absolument gratuit et universel.

Aussi Jésus allait-il vers tous les hommes indistinctement. Il marquait même une préférence pour les plus éloignés de la justice selon la loi : les pécheurs notoires ou considérés comme tels. Volontiers il fréquentait ces « maudits qui ignorent la loi » (Jn 7,49). A ceux qui s'en scandalisaient, il disait : « Je ne suis pas venu appeler les justes, mais les pécheurs » (Mt 9,13) ; « Il y a plus de joie au ciel pour un seul pécheur qui se convertit que pour quatre-vingt-dix-neuf justes qui n'ont pas besoin de se convertir » (Lc 15,7). Sa mission, en effet, n'était pas d'accueillir les justes et de

50

rejeter les autres, mais d'offrir au monde une communion avec Dieu, qu'aucune pratique de la loi, aucune fidélité ne pouvaient mériter.

Au commencement, il y a le Don de Dieu : la violence d'un Amour sans mesure. C'était une révélation énorme. Et dans un univers religieux, entièrement dominé par la loi, c'était une révélation subversive, qui risquait de faire éclater tout le système. Jésus fut donc traité comme un être dangereux. On le taxa d'abord d'imposture. Comment un envoyé de Dieu pouvait-il montrer tant d'attention et d'amour à l'égard précisément de ceux qui font bon marché de sa loi ? Puis, on l'assimila très vite à ces exclus et ces maudits qu'il fréquentait. Et comme il entraînait le peuple à sa suite, on résolut de le supprimer, en le discréditant complètement. On décida de lui infliger le supplice des maudits. Sa mort en croix montrerait à tous que Dieu n'était pas avec lui ; elle ferait éclater son imposture.

Quand Jésus vit que sa mission le conduisait tout droit à une mort violente et infamante, il ne se déroba pas, malgré le trouble et l'effroi qui, à certaines heures, l'assaillirent. « Il prit courageusement la route de Jérusalem » (Lc 9,51), résolu à faire de sa mort elle-même le suprême témoignage, le signe éclatant de la vie divine offerte à tous les hommes. Par le don de sa vie, il allait révéler et réaliser le grand dessein de Dieu.

Jésus ne subirait pas sa mort comme une fatalité : « Ma vie, dit-il, nul ne la prend ; je la donne de moi-même » (Jn 10,18). Et, pour bien le montrer, au cours du dernier repas qu'il prit avec ses disciples, il rompit le pain et le leur donna, en disant : « Ceci est mon corps, donné pour vous... » Il fit de même pour la coupe après le repas, disant : « Cette coupe est la nouvelle Alliance en mon sang, versé pour vous » (Lc 22,19-20). En assumant ainsi pleinement sa mort, Jésus laissait voir la profondeur et la force de la vie qui l'habitait : une profondeur et une force de communication, que rien ne saurait arrêter, ni les souffrances, ni les humiliations, ni la mort elle-même.

La mort de Jésus en croix constitue donc le point culminant de sa mission ; elle est l'acte qui accomplit ce pour quoi il est envoyé : la communication au monde de cette vie qu'il possède en plénitude, en sa qualité de Fils unique, et qui prend sa source dans la violence d'un amour qui a fait sortir Dieu de lui-même. Par son corps livré et son sang versé, c'est la vie même de Dieu qui se répand à profusion sur l'humanité entière, à l'image de l'eau et du sang qui s'écoulent du côté ouvert du Crucifié (Jn 19,34). Dans le Fils unique, c'est Dieu lui-même qui se donne totalement.

La résurrection de Jésus, au matin de Pâques, vient confirmer que la vie donnée, sous le signe du corps livré et du sang versé, est bien la vie éternelle de Dieu : une vie plus forte que la mort, à la fois plus ancienne et plus jeune que la création elle-même. Car elle ne fait qu'un avec l'Amour créateur. La résurrection du Christ éclaire les profondeurs de l'acte créateur. Elle tire à la lumière ce qui était voulu depuis toujours : l'Homme-Dieu. Elle réalise le grand dessein de Dieu : « ... La promesse que Dieu avait faite à nos pères, il l'a entièrement accomplie pour nous, en ressuscitant Jésus ; c'est ce qui est écrit au psaume deuxième : Tu es mon Fils, aujourd'hui je t'ai engendré » (Ac 13,32-33). Le Premier-né d'entre les morts révèle le Premier-né de toute créature. Au matin de la résurrection, l'humanité, en Jésus, retrouve sa splendeur originelle :

« O Père des siècles du monde,
voici le dernier-né des jours
qui monte
à travers nous, à la rencontre
du Premier-né de ton amour[1]. »

« Il s'est levé d'entre les morts
Le Fils de Dieu, notre frère.
Il s'est levé libre et vainqueur ;
Il a saisi notre destin
Au cœur du sien
Pour le remplir de sa lumière[2]. »

Cette action du Ressuscité ouvrant le monde à sa lumière, rien ne l'évoque mieux que le récit de son apparition sur les bords du lac, en Jean 21,4-17. Au lever du jour, Jésus paraît sur le rivage. Il est seul, dans le silence de l'aube. A l'est, par-delà l'étendue calme des eaux, le soleil se lève au-dessus des monts chauves de Jordanie. Un monde se dévoile. Un jour nouveau commence. Un matin biblique. La création dans sa virginité.

Jésus contemple cette splendeur. Sur le lac apparaît une barque de pêcheurs. On la distingue de

1. La Tour du Pin, CNPL.
2. *La Liturgie des heures*, CFC, CNPL.

plus en plus nettement dans la lumière neuve. Ce sont « eux ». Ils ont travaillé toute la nuit. En vain. Ils rentrent, épuisés. Ils regardent vers la rive. Ils aperçoivent un homme seul qui semble les attendre. Qui peut bien être ce guetteur de l'aube ?

Lui aussi les voit. Il les connaît tous, par leur nom, par le plus intime de leur être : Simon-Pierre, l'impétueux, le présomptueux, tout d'une pièce ; Jean le méditatif, mais aussi le « fils du tonnerre » ; Thomas, le sceptique qui attend de voir pour croire ; Jacques, André et tous les autres. Des hommes simples, attachants. Ils ont vibré à sa parole, espéré en lui ; ils l'ont suivi, mais...

A quoi pensent-ils, en ce moment ? Tous, à part Jean, l'ont abandonné. Simon-Pierre l'a renié ouvertement, jurant qu'il ne connaissait pas « cet homme », lui qui quelques heures plus tôt avait affirmé avec éclat qu'il était prêt à mourir avec lui. Il a eu peur. Tous ont eu peur. La grande peur les a saisis. Ils se sont terrés. Et puis ils sont retournés à leurs barques et à leurs filets, honteux, le cœur vide désormais de la grande espérance. Ils sont retournés à leur nuit de peine et ils n'ont rien pris.

Et maintenant il va les retrouver. C'est lui qui revient vers eux. Non pour les juger et les condamner, mais pour les arracher à leur nuit, à leur peur. Il est là, pour les remplir de sa lumière, pour les accueillir dans son Jour à lui. Il les attend pour leur communiquer cette force d'aimer, qui a triomphé en lui de la peur et de la mort, cette force qui est aussi la grande force créatrice. Il veut les ressusciter avec lui. Et puis les confirmer dans son choix et leur mission.

Du rivage, il les appelle : « Hé ! les enfants ! avez-vous du poisson ? » — « Non ! » répondent-ils. Toute la nuit ils ont pêché sans rien prendre. Alors Jésus leur dit : « Jetez le filet à droite de la barque et vous trouverez. » Ils le jetèrent, et, cette fois, ils n'avaient plus la force de le ramener, tant il était lourd de poissons. Le disciple que Jésus aimait dit alors à Pierre : « C'est le Seigneur ! » A ces mots, Pierre se jette à l'eau...

Tout est dit. La scène est d'une simplicité biblique : le lever du jour sur le lac, le retour des pêcheurs, la peine des hommes, la prise inespérée... Et cette présence inattendue du Seigneur dans le petit matin. Aucune déclaration fracassante. Ces simples mots : « Hé ! les enfants ! avez-vous du poisson ? » Pas un reproche. Une humble demande, au ras de l'eau, au ras du corps. Discrétion du Ressuscité : aucun triomphalisme. Simplement les paroles et les gestes de la vie ordinaire. Rien n'est bousculé, mais tout est transfiguré par cette présence tranquille et immense du Seigneur. Et la vie est là, jaillissante, surabondante, symbolisée par cette pêche miraculeuse. La vie retrouve son élan dans cet amour qui a tout ressaisi.

« C'est le Seigneur ! » Le cri est parti, lancé par Jean, reçu par Pierre. Il sera repris par des millions d'êtres humains, tout au long de l'histoire ; il rebondira de génération en génération, comme le galet lancé sur l'eau et qui ricoche indéfiniment. C'est ici que tout a commencé, sur les bords du lac, un matin de résurrection. Quelque chose de fort et de léger à la fois s'est mis en mouvement, a pris son vol. Léger et puissant comme une aile. Sans longue réflexion, sans le moindre discours, Pierre s'est jeté à l'eau, sur ces simples mots : « C'est le Seigneur ! »

Et le Seigneur est là, sur le rivage, qui l'attend. Il va lui poser une question, une seule question essentielle : « Simon, fils de Jean, m'aimes-tu ? » Et pour bien montrer l'importance qu'il attache à cette question, il la lui posera à trois reprises. Ce n'est pas là un reproche, ni une manière de faire sentir à Pierre le poids de son reniement. Le regard que Jésus porte sur lui, en ce moment, ne le renvoie pas vers son passé ; il ne l'enferme pas dans la tristesse du vieux monde. Ce regard, au contraire, l'ouvre à l'avenir, à la joie du monde nouveau. C'est un appel à collaborer avec lui, dans l'amour, à l'avènement du monde nouveau. Et à Pierre qui s'exclame à la fin : « Seigneur, tu sais tout, tu sais bien que je t'aime ! » Jésus déclare : « Pais mes brebis. » Ce qui veut dire : sois le berger de mon troupeau, je te le confie.

5. Toi dont le chant éclaire ma nuit

« Que ta joie soit le chant
de mon amour
quand ma nuit n'attend qu'elle
pour fleurir en aurore. »

J. Rousse (moine bénédictin).

Avant de contempler le don de Dieu dans l'Église, il convient d'arrêter notre regard sur l'humanité divine de Jésus. En elle brille dans tout son éclat la communication que Dieu-Trinité, dans son ardent amour créateur, a voulu faire de lui-même au monde. Dans son humanité, Jésus réalise et révèle d'une manière plénière et définitive le dessein créateur et divinisant de Dieu.

« Celui qui voudrait interroger Dieu ou qui demanderait soit une vision, soit une révélation, écrit Jean de la Croix, non seulement commettrait une absurdité, mais ferait injure à Dieu, parce qu'il cesserait de fixer les yeux sur le Christ et voudrait quelque chose d'autre et de nouveau. Dieu pourrait lui répondre : "Puisque j'ai dit toutes choses dans ma Parole, qui est mon Fils, il ne me reste plus rien à te répondre ni à te révéler. Fixe les yeux sur lui seul, car j'ai tout renfermé en lui : en lui j'ai tout dit et tout révélé. Tu trouveras en lui au-delà de ce que tu peux désirer et demander... Il est toute ma parole, toute ma réponse, il est toute vision et toute révélation. Je vous ai tout répondu, tout dit et tout manifesté, tout révélé, en vous le donnant pour frère, pour compagnon, pour maître, pour héritage et récompense"... »

« ... Si tu souhaites que je te découvre des choses cachées ou quelque événement, jette seulement les yeux sur lui et tu trouveras renfermés en lui de très profonds mystères, une sagesse et des merveilles de Dieu, suivant cette parole de mon Apôtre : "En lui, qui est le Fils de Dieu, sont cachés tous les trésors de la sagesse et de la science de Dieu" (Col 2,3)[1]. »

Regardons, écoutons le Fils bien-aimé. Il a tant de choses à nous dire sur le Père, tant de choses à nous communiquer. « Le Père aime le Fils et a tout remis dans sa main » (Jn 3,35). « ... Tout ce que j'ai entendu de mon Père, je vous l'ai fait connaître » (Jn 15,15).

Quand Jésus dit à ses disciples : « Lorsque vous priez, dites "Père" [Abba !] » (Lc 11,2), il ne leur enseigne pas seulement une formule de prière, il les invite à le rejoindre dans sa relation intime au Père.

---

1. Saint Jean de la Croix, *Montée du Carmel*, II, 22,5-6, trad. C. Tonnelier, dans *Te suivre Jésus*, Éd. Tequi, 1988.

Il les introduit dans son royaume intérieur, dans son jardin secret. Il les initie à sa plénitude filiale ; il leur apprend à chanter le chant nouveau. Toute la vie d'union de Jésus à Dieu se résume dans ce simple mot « Abba ! ». Ce mot était celui des petits enfants araméens qui appelaient ainsi leur père. C'était un diminutif du babil enfantin : l'équivalent de notre « papa ». Appliqué à Dieu, ce mot est propre à Jésus. Aucun juif pieux ne se serait permis d'employer ce cri familier de l'enfant pour invoquer le Dieu trois fois saint, le Dieu de majesté, devant qui tremblent les Séraphins.

Ce langage insolite traduit une émotion neuve, une expérience unique de relation à Dieu. Jésus disait à ses disciples : « Quand tu pries, retire-toi dans ta chambre, ferme sur toi la porte, et prie ton Père qui est là, dans le secret » (Mt 6,6). L'expression « ton Père qui est là, dans le secret » est lourde de sens, dans la bouche de Jésus. Ce secret n'était pas, pour lui, seulement le secret de tel ou tel lieu retiré. C'était le secret de son être le plus intime. Les évangiles nous apprennent que Jésus se retirait volontiers dans la solitude, mais c'était pour se plonger dans le secret du Père : pour dire « Abba ! ». Dans la nuit de Gethsémani, à l'heure de l'agonie, il redira encore : « Abba ! » (Mc 14,36). Aucun mot, aucune expression ne disent mieux sa manière d'être avec Dieu, de sentir Dieu.

Comment rendre toutes les nuances, toutes les harmoniques de ce chant intérieur, sans rien forcer ni non plus sans rien atténuer ou omettre ? Il est difficile de bien parler de Jésus, surtout de sa vie secrète. Les évangiles sont discrets à ce sujet. Et cependant que de choses ils suggèrent à mots couverts ! C'est ici qu'il faut avoir l'ouïe fine et un cœur qui écoute. Celui qui se risque à parler de la vie intime de Jésus se verra toujours reprocher d'en dire trop ou trop peu. Et pourtant comment ne pas parler quand on aime ? Quand on croit que le secret de la vraie vie est là ? En lui, « sont cachés tous les trésors de la sagesse et de la connaissance » (Col 2,3). Et Jésus lui-même n'a-t-il pas dit : « Qui cherche trouve » ? Nous sommes donc invités à entrer dans cette sagesse secrète, en écoutant ce chant intime et merveilleux.

Ce qui transparaît en premier dans l'appellation « Abba ! », donnée à Dieu par Jésus, c'est évidemment une familiarité dépourvue de tout sentiment de crainte, d'indignité ou d'effroi devant la majesté et la sainteté de Dieu. On est loin ici du cri du prophète Isaïe, ébloui et comme écrasé par la révélation du Dieu trois fois saint, au milieu de son temple : « Malheur à moi, je suis perdu ! Car je suis un homme aux lèvres impures... » (Is 6,5). L'invocation « Abba ! », sur les lèvres de Jésus, nous transporte dans un autre univers. Ici règnent la transparence, l'innocence première, l'insouciance jubilante de l'enfant, une intimité sans nuages. Ici monte le chant cristallin d'une source limpide : une hymne au Dieu de l'enfance.

Tous les évangiles en témoignent : Jésus avait un sens très personnel et très profond de la paternité de Dieu. Cela se manifeste tout au long de son enseignement. « Votre Père, dit-il à ses disciples, sait ce dont vous avez besoin, avant même que vous le lui demandiez » (Mt 6,8). « Ne vous inquiétez donc pas pour votre vie... » (Mt 6,25). « Si vous, tout méchants que vous êtes, vous savez donner de bonnes choses à vos enfants, combien plus le Père du ciel donnera-t-il l'Esprit Saint à ceux qui le lui demandent ! » (Lc 11,13). Le cœur du Père, tel que le voit Jésus, est d'une générosité sans mesure et sans frontières : « Votre Père qui est aux cieux fait lever son soleil sur les méchants et sur les bons, et tomber la pluie sur les justes et les injustes » (Mt 5,45). Que l'on songe à l'accueil débordant de tendresse que, dans la parabole du fils prodigue, le père réserve à son enfant retrouvé, et à la réponse qu'il fait à son aîné irrité par cet accueil : « Toi, mon enfant, tu es toujours avec moi ; et tout ce qui est à moi est à toi » (Lc 15,31). De telles paroles ne peuvent jaillir que d'une expérience personnelle et profonde du cœur du Père.

De cette expérience découle une confiance sans bornes, en même temps qu'un émerveillement toujours renouvelé devant l'œuvre du Père. Cette confiance et cet émerveillement, Jésus s'efforce de les communiquer à ses disciples : « Regardez, leur dit-il, les oiseaux du ciel : ils ne sèment ni ne moissonnent, ni n'amassent dans des greniers, et votre Père céleste les nourrit... Regardez les lis des champs, comme ils poussent ; ils ne peinent ni ne filent... Et Salomon lui-même, dans toute sa gloire, n'a pas été vêtu comme l'un d'eux » (Mt 6,26-29). Jésus contemple la création avec le regard émerveillé et confiant de l'enfant : il la voit et la fait voir dans la lumière du Père. Et cette lumière est celle d'un matin merveilleux. Merveilleux à être enfant éternellement.

Ne nous y trompons pas cependant. Cette lumière d'enfance dans laquelle Jésus vit n'est pas de la naïveté ni même simplement de la candeur. Elle jaillit d'un grand renoncement. Dans son ouvrage, *Le Pèlerin chérubinique*, Angelus Silésius écrit : « Je ne veux ni force, ni puissance, ni art, ni sagesse, ni richesse, ni éclat : je ne veux être qu'un enfant en mon Père[2]. » On ne peut mieux exprimer l'attitude intérieure de Jésus, son option fondamentale. « N'être qu'un enfant en mon Père », c'est se vouloir tout entier reçu du Père, et n'avoir d'autre regard, d'autre volonté, d'autre joie que le Père lui-même. C'est épouser son dessein totalement et entrer pleinement dans le jeu de l'amour créateur et divinisant. La vie filiale de Jésus est cette adhésion et cette coopération actives, aimantes et totales, à la volonté du Père. Il invite d'ailleurs les disciples à le suivre sur cette voie : « Cherchez d'abord son Royaume et sa justice, le reste vous sera donné par surcroît » (Mt 6,33).

Dans la pensée de Jésus, en effet, le cri de l'enfant « Abba » est lié à l'accomplissement du grand dessein de Dieu, à la venue de son Règne : « Quand vous priez, dites : Père ! Que ton Nom soit sanctifié, que ton Règne vienne... » (Lc 11,2). Jésus ne vit que pour cet événement : la venue du Règne. Il l'annonce, il s'y consacre tout entier, et déjà il le voit, il le sent dans sa brûlante actualité. Un monde nouveau commence. Tout son être est engagé dans cette grande transformation du monde. Et l'invocation « Abba ! » qui jaillit de son cœur est comme le cri de naissance de ce monde nouveau.

L'expérience de la paternité de Dieu, en Jésus, se confond avec la conscience d'une communication unique. Le Règne de Dieu vient. Et Jésus le voit naître au plus intime de lui-même. C'est là, dans sa relation au Père, qu'il expérimente la venue du Royaume : dans la communication dont il est l'objet. Une communication de vie, qui le fait vivre de la vie même du Père dans une relation de totale transparence : il connaît le Père : « Comme le Père, en effet, a la vie en lui-même, de même a-t-il donné au Fils d'avoir aussi la vie en lui-même... » (Jn 5,26). Cette communication intime le met dans le secret du Père et l'autorise à parler en son nom. « Car le Père aime le Fils et lui montre tout ce qu'il fait... » (Jn 5,20).

A certains moments de sa vie, Jésus ne peut contenir sa joie devant cette merveilleuse communication : « A cette heure même, il tressaillit de joie sous l'action de l'Esprit Saint et il dit : Je te bénis, Père, Seigneur du ciel et de la terre, d'avoir caché ces choses aux sages et aux intelligents, et de les avoir révélées aux tout-petits. Oui, Père, tel a été ton bon plaisir. Tout m'a été remis par mon Père, et nul ne sait qui est le Fils, si ce n'est le Père, ni qui est le Père, si ce n'est le Fils et celui à qui le Fils veut bien le révéler » (Lc 10,21-22). Jésus reconnaît ici explicitement qu'il se trouve vis-à-vis du Père dans une relation de totale transparence :

il connaît le Père comme le Père le connaît ; et lui seul peut le faire connaître.

Jésus laisse donc clairement entendre que le Père s'est communiqué à lui d'une manière unique et plénière : « Tout m'a été remis par mon Père. » Tout, c'est-à-dire le grand dessein de Dieu qui veut se communiquer aux hommes et les rendre participants de sa gloire et de son bonheur. Le jour de son baptême par Jean dans le Jourdain, Jésus a entendu la voix du Père lui dire : « Tu es mon Fils bien-aimé ; en toi, je me plais » (Mc 1,11). C'était une parole d'élection, dans la plus pure tradition prophétique : une investiture messianique. Elle le consacrait comme l'envoyé du Père vers les hommes pour leur annoncer la Bonne Nouvelle ; elle lui révélait sa mission. En lui, tout homme était appelé à s'entendre dire : « Tu es mon Fils bien-aimé. » Tout homme était destiné à vivre de cette merveilleuse communication de vie. Le Royaume était là dans cette éblouissante communication. Et Jésus s'est senti poussé par l'Esprit Saint à répandre la joyeuse nouvelle, à partager le secret de sa joie filiale avec ses frères en humanité. L'Évangile a pris son vol, ce jour-là, à partir de cette révélation intime et ultime.

« Tu es mon Fils bien-aimé... » Cette parole n'a cessé d'accompagner Jésus et de chanter dans son cœur tout au long de son ministère. Elle était la lumière de sa vie, la source de son inspiration. Il y puisait toute sa force, face aux difficultés de sa mission. C'est à elle qu'il revenait, lorsqu'il se retirait dans la solitude pour prier, et qu'il disait « Abba ! ». Cette parole a grandi en lui, comme la petite graine de l'Évangile. Elle s'est épanouie et a pris possession de tout son être. Elle venait de loin, de très loin. Depuis toujours elle lui était destinée : « Je t'aimais avant que tu sois né, bien avant la création du monde ; je t'aime de toute éternité. » Cette parole était au commencement. Elle était son commencement, la source même de son être. « Il ne suffit pas d'une chair pour naître, a-t-on écrit, il y faut aussi une parole. » Et cette parole révélait à Jésus, en même temps que les profondeurs de son être, la vie intime du Dieu vivant.

Il reste à entendre une dernière note de ce chant intérieur, la plus émouvante, la plus déchirante aussi. Une note nocturne. L'Élu de Dieu, l'Enfant émerveillé du Père allait vite s'apercevoir combien il est difficile de partager un grand bonheur, et que le vieux monde est plein de mâchoires. Non, ce monde n'allait pas s'effacer et disparaître, comme par enchantement, devant le monde nouveau et merveilleux de la Bonne Nouvelle. Jésus vit que son message ne passait pas, que son chant restait sans écho. Bien plus, la haine se levait sous ses pas. On cherchait à le perdre. Le vieux monde attendait son heure, tel le vautour posé près de la bête blessée. Jésus connut alors l'angoisse. Et seul dans la nuit de Gethsémani, face à une mort atroce, il lança une dernière fois son chant « Abba ! » (Mc 14,36). Mais ce n'était plus qu'un cri de détresse qui semblait se perdre dans les ténèbres. En vérité, c'était aussi le cri d'une suprême confiance. S'en remettant alors totalement à son Père, Jésus dit en effet « Non pas ce que je veux, mais ce que tu veux ! » (Mc 14,36).

La confiance suprême n'est pas celle qui se préserve de la dévastation et de la mort ; elle est celle qui se maintient au plus noir de la nuit et jusque dans l'horreur de ce monde. Si Jésus, l'Enfant bien-aimé du Père, avait été à l'abri de toute adversité et de toute atteinte du mal, si vraiment il n'avait pas pris notre destin tragique au cœur du sien, quelle valeur, quelle importance aurait pour nous son univers filial, ainsi protégé ? Ce paradis intime n'aurait pas plus de consistance à nos yeux qu'un joli conte d'enfant. Par contre, la confiance totale et aimante qu'il témoigne à son Père dans la suprême détresse et le plus complet délaissement nous touche au plus profond ; elle nous rejoint dans nos abîmes ; elle traverse notre nuit comme un trait de lumière. Car elle atteste que la communication de Dieu, dont Jésus se sait l'objet, demeure intacte, à ses yeux, au cœur même de nos enfers : rien ne l'entame ; elle est plus forte que tout, plus forte même que le sentiment d'abandon.

« Mon Dieu, mon Dieu, pourquoi m'as-tu abandonné ? » (Mc 15,34). Ce cri n'est pas un cri de désespoir. Il est une interrogation déchirante et, comme tel, une prière. Et quelle prière ! La relation de Jésus à son Père se maintient, mais comme un pont jeté sur l'abîme. Selon le mot de Moltmann, « Jésus, par son abandon sur la croix, donne Dieu aux abandonnés de Dieu ». Il a accepté la blessure du monde et il en a fait le haut lieu de la communication. La vie divine qu'il avait pour mission de transmettre aux hommes s'écoule tout entière par cette blessure.

La Résurrection de Jésus, au matin de Pâques,

montre que la confiance du Crucifié n'a pas été déçue. Dieu était avec lui jusque sur la croix. Le Père lui-même se livrait et se communiquait au monde en son propre Fils. Le dessein éternel de Dieu s'est accompli. Et le chant du Fils est devenu celui de l'humanité nouvelle.

6. La source sous le temple

Nous voulons contempler le dessein de Dieu,
dans sa pleine dimension. Il nous reste, pour cela,
à considérer comment la communication de la vie
divine au monde s'accomplit en Église. Dieu n'a
pas voulu s'unir à chaque homme séparément.
Bien que cette communion soit toujours personnelle, elle a aussi un caractère essentiellement ecclé-
sial. Nous ne recevons la vie divine qu'en formant
un seul corps dans le Christ.

L'Église, mystère de vie divine ? On peut hési-
ter à le dire. En effet, ce qui frappe en premier
dans l'Église, n'est-ce pas son aspect humain, trop
humain ? La tentation de l'Église fut bien souvent

de vouloir accomplir sa mission propre avec les moyens de ce monde. L'histoire montre qu'en suivant cette pente l'Église finit par oublier sa finalité profonde et s'installe elle-même comme une puissance de ce monde. Le Royaume de Dieu ne peut être servi que par les moyens du Royaume. Et ce sont des moyens pauvres. On connaît le mot terrible de Loisy : « Jésus annonçait le Royaume ; et c'est l'Église qui est venue. » Où est donc passé le grand bonheur proclamé par Jésus sur la montagne des Béatitudes ? Celui qui veut écrire sur le mystère de l'Église éprouve spontanément cet « acte poignant et si grave d'écrire, quand l'angoisse se soulève sur un coude pour observer, et que notre bonheur s'engage nu dans le vent du chemin[1] ».

L'Église n'est certes pas le Royaume. Et cependant, en choisissant les Apôtres et en les envoyant dans le monde, le Christ leur a confié le grand dessein de Dieu : « Comme le Père m'a envoyé, moi aussi je vous envoie... » (Jn 20,21). Il a voulu l'Église au service du Royaume. Il l'a voulue comme lieu privilégié de la communication au monde de cette vie qu'il possède en plénitude et qui déborde de son humanité.

Par-delà son aspect humain, l'Église est donc habitée par un mystère de vie. Elle est dans l'histoire des hommes la Tente errante de la Gloire. Et si elle n'est jamais aussi resplendissante que lorsqu'elle s'avance dans le dénuement des Béatitudes, elle n'en demeure pas moins celle qui a le

---

1. René Char.

pouvoir de communiquer la vie divine, quand bien même elle s'affuble des oripeaux de ce monde. Il y a toujours une source cachée sous le seuil du temple. Et l'eau qui en jaillit est une eau vive. Partout où elle coule, elle fait vivre (cf. Ez 47,1-12). La vie profonde de l'Église n'est autre, en effet, que la vie divine communiquée aux hommes dans le Christ ressuscité. Elle est cela ou elle n'est rien. De la sainte Trinité à l'humanité du Christ, puis à l'Église, il y a continuité de vie. C'est un même jaillissement, une même coulée de vie. La vie qui est éternellement dans le sein du Père, après s'être communiquée en Dieu même, dans la communion trinitaire, après s'être déversée en plénitude dans le Premier-né de toute créature, voici qu'elle se communique, par grâce, à nous aussi, dans l'Église. C'est cela le mystère de l'Église : la communication de la vie divine aux hommes dans le Fils bien-aimé. Non pas seulement une société des hommes avec Dieu, mais essentiellement la société divine elle-même, la communion trinitaire, s'ouvrant gracieusement aux hommes dans le Christ Jésus.

Cette vie divine nous vient de la Trinité par les sacrements qui prolongent au milieu de nous l'action divinisante du Christ, en nous incorporant à lui, en nous assimilant à lui. Ainsi le baptême, reçu au nom du Père et du Fils et du Saint-Esprit, en même temps qu'il nous plonge dans la mort avec le Christ, nous ressuscite avec lui et nous fait entrer avec lui dans la communion trinitaire. Nous naissons à la vie filiale de Jésus, le Fils bien-aimé, Premier-né de toute créature. Nous devenons réellement enfants du Père, vivants de la vie même de Dieu. L'eucharistie vient nourrir en nous cette vie en nous associant de façon toujours plus étroite à la communion trinitaire.

Lieu de la communication de la vie divine au monde, l'Église est aussi l'espace où se construit la nouvelle communauté des hommes dans le Christ. L'Église ne communique pas seulement la vie divine à chaque croyant pris séparément, elle a aussi vocation de rassembler en une même communion tous ceux et toutes celles qui célèbrent la Parole et les Sacrements.

L'Église est donc une communauté de vie où se retrouvent des hommes et des femmes très différents par la race, la culture, l'histoire... Elle est au sens le plus fort une communion. La notion de « communion », *koinônia*, est une notion de base, une notion clé pour comprendre l'Église. Elle plonge ses racines dans la Bible et dans toutes les traditions chrétiennes. On la retrouve au long des siècles. Elle a le mérite de rattacher directement la réalité ecclésiale à l'eucharistie, de la faire découler de cette source de vie, en la situant dans le prolongement de la communion au corps et au sang du Christ : « Comme il n'y a qu'un seul pain, nous ne sommes tous qu'un seul corps ; car tous nous participons à ce pain unique » (1 Co 10,17).

D'autre part, la notion de « communion » écarte toute idée d'uniformité et d'unité réductrice. Nous formons un seul corps dans le Christ, mais c'est « un corps plein de membres pensants » (Pascal). Ceci est important. Chaque être humain est un sujet unique. L'unité dans le Christ ne saurait être l'absorption ou l'embrigadement de la personne dans un collectif anonyme et niveleur. Au contraire, elle développe au maximum ce qu'il y a d'unique en chacun. Elle est essentiellement une communion de personnes ; et les relations entre ces personnes s'inspirent directement de celles qui existent au sein de la communion trinitaire. La vie divine ne peut s'épanouir que dans une communion où chaque personne est reconnue et aimée dans sa dignité propre et sa vocation singulière. Créé à l'image de Dieu-Trinité, l'homme est appelé à se réaliser dans une communion qui reflète et prolonge celle des trois Personnes divines. C'est ce que Jésus lui-même appelle de tous ses vœux dans sa grande prière, avant de retourner vers le Père : « Qu'ils soient un, comme nous sommes un... Que tous soient un, comme toi, Père, tu es en moi et moi en toi, qu'eux aussi soient un en nous » (Jn 17,21).

Commentant ces paroles du Christ, Hilaire de Poitiers écrit : « Il a ainsi montré que son unité avec le Père devait être le modèle et l'exemple de l'unité des croyants. Il a prié pour que, comme le Père est dans le Fils et le Fils dans le Père, ainsi ils soient tous un dans le Père et le Fils, à l'exemple de cette union[2]. » La communauté ecclésiale, dans la mesure où elle réalise l'unité des hommes dans le Christ, ne peut que reproduire la communion trinitaire. A vrai dire, elle est une participation à cette communion ; elle est la communion trinitaire présente et agissante parmi les hommes.

2. *Sur la Trinité*, VIII.

La grande tâche de l'Église, sa mission essentielle, est cette communion, signe et avant-goût du Royaume. Jésus insiste sur ce point dans sa dernière prière : « Qu'ils soient un comme nous sommes un... afin, dit-il, que le monde reconnaisse que tu m'as envoyé et que tu les as aimés comme tu m'as aimé » (Jn 17,23). C'est en reproduisant dans ses membres la communion trinitaire, que l'Église témoigne de la vie divine qui est en elle. Car « à l'amour entre nous, Dieu ne s'ajoute pas, il s'y manifeste[3] ».

Hélas ! les chrétiens ont bien souvent failli à leur tâche essentielle. Et la réalité profonde de l'Église est devenue invisible ; elle s'est retirée dans le mystère de Dieu, attendant l'heure de sa révélation. Il ne suffit pas d'annoncer verbalement le message du Christ ou d'administrer les sacrements, pour communiquer au monde la vie qui vient de Dieu. Une telle communication ne se réalise qu'en produisant son fruit : la communion. Comment, en effet, révéler et communiquer une vie qui est essentiellement communion dans sa source, si l'on offre au monde le spectacle de la désunion ?

Les grands mystiques chrétiens ont eu la passion de cette communion. Ne pouvant la réaliser d'emblée à l'échelle de l'humanité ni même de l'Église, ils se sont ingéniés à en offrir un modèle réduit, à titre prophétique. Avec un petit nombre de personnes à qui ils communiquèrent leur flamme intérieure, ils s'efforcèrent de créer une

---

3. M. Bellet, *Incipit ou le Commencement*, Desclée de Brouwer, p. 55.

première ébauche de communion divine. « Telle est la méthode, remarque Bergson, que les grands mystiques ont suivie. C'est par nécessité, et parce qu'ils ne pouvaient pas faire davantage, qu'ils dépensèrent surtout à fonder des couvents ou des ordres religieux leur énergie surabondante. L'élan d'amour qui les portait à élever l'humanité jusqu'à Dieu et à parfaire la création divine ne pouvait aboutir, à leurs yeux, qu'avec l'aide de Dieu, dont ils étaient les instruments. Tout leur effort devait donc se concentrer sur une tâche très grande, très difficile, mais limitée. D'autres efforts viendraient, d'autres étaient d'ailleurs déjà venus ; tous seraient convergents, puisque Dieu en faisait l'unité[4]. »

Ces réalisations ferventes mais limitées de communion avaient une valeur prophétique : ils annonçaient une humanité appelée à reproduire en son sein la communion trinitaire elle-même. La tâche est toujours à reprendre. Car, sans ce souffle prophétique de communion, qu'est-ce que l'Église ? Le feu, sans la flamme, n'est que cendres. Oui, qu'est-ce que l'Église sans l'Esprit Saint qui est essentiellement la flamme et le souffle créateur ?

« ... Sans l'Esprit Saint, Dieu est loin,
Le Christ reste dans le passé,
L'Évangile est une lettre morte,
L'Église est une simple organisation,
L'autorité une domination,
La mission une propagande,
Le culte une évocation,
L'agir chrétien une morale d'esclaves.

4. Bergson, *Les deux Sources de la Morale et de la Religion*, PUF, Édition du centenaire, p. 1176.

« Mais avec lui :
Le cosmos, soulevé, gémit
    dans l'enfantement du Royaume,
Le Christ ressuscité est là,
L'Évangile est une puissance de vie,
L'Église est une communion trinitaire,
L'autorité un service libérateur,
La mission une Pentecôte,
La liturgie : mémorial et anticipation,
L'agir humain est déifié[5]. »

On ne peut clore ce chapitre sur l'Église, comme lieu privilégié de la communication de la vie divine au monde, sans évoquer celle qui en est la figure lumineuse, la bienheureuse Vierge Marie. C'est par Marie, en effet, que le Fils de Dieu est venu au monde. C'est elle qui lui a donné cette humanité en laquelle la vie divine nous a été révélée et communiquée. La maternité divine de Marie préfigure celle de l'Église. Sa mission annonçait et dessinait la mission essentielle de l'Église, qui est de communiquer la vie divine au monde, par la Parole et les Sacrements, et de porter le corps du Christ à sa Plénitude.

Pas plus que l'Église, Marie n'est la source de la vie divine. Elle est une simple créature. Et une créature sauvée. Oui, Marie fait partie de l'humanité sauvée. Certes, elle a été préservée de la blessure du péché et comblée de la grâce divine, dès le premier instant de sa conception, mais c'est par un effet anticipé des mérites du Christ et en prévision de sa maternité divine. En elle, la Rédemption a

5. Ignace de Lattaquié, Métropolite orthodoxe.

donné son plus beau fruit. En elle, la communication toute gratuite de la vie divine n'a rencontré aucun obstacle. Elle est vraiment la créature totalement ouverte à l'action déifiante de l'Esprit Saint. Marie n'est pas la source. Mais elle est comme ces beaux lacs de haute montagne où affluent et se recueillent les eaux paisibles et virginales des cimes, avant de s'échapper en torrents vers les basses vallées. Aucune créature d'ailleurs n'a eu conscience comme elle de la gratuité du Don de Dieu, ainsi qu'en témoigne son Cantique, le *Magnificat*, dans lequel elle se reconnaît toute petite devant les grandes choses que Dieu a bien voulu accomplir en elle. Aucune créature, non plus, n'a correspondu comme elle aux avances divines. En acceptant de devenir la mère du Messie, elle s'est mise tout entière à la disposition de Dieu, au service de son grand dessein : « Je suis la servante du Seigneur », dit-elle à l'ange de l'Annonciation (Lc 1,38). Marie a épousé dans la foi ce dessein d'amour. A partir de ce moment, elle fut associée d'une manière très étroite à son accomplissement : la communication de la vie divine au monde dans le Fils Bien-aimé.

Saint François d'Assise salue en Marie « la Vierge devenue Église ». Elle est effectivement la mère virginale de l'Église. De même qu'elle a enfanté la Tête, elle enfante le Corps tout entier. Dans l'évangile de Jean, Jésus, en croix, « voyant sa mère, et près d'elle, le disciple qu'il aimait, dit à sa mère : Femme, voici ton fils. Puis il dit au disciple : Voici ta mère » (Jn 19,26-27). La Tradition a vu dans ces paroles l'annonce du rôle que Marie était appelée à jouer dans l'Église. Sa maternité divine se prolonge dans la naissance du corps tout entier.

7. Solitude et communion

Accueillir la communication que Dieu nous fait de lui-même en son Fils bien-aimé, c'est non seulement naître personnellement à la vie divine, c'est aussi se voir associé à une action qui dépasse notre destinée particulière. Celui que Dieu envahit, il l'envoie vers le vaste monde des hommes, comme il a envoyé Jésus au jour de son baptême. En entendant la voix du Père lui dire : « Tu es mon Fils bien-aimé », Jésus a compris qu'il n'était pas « le Fils bien-aimé » pour lui seul, mais aussi pour le monde : il était le Fils engendré pour le monde. De même, l'homme qui s'ouvre au don de la vie divine se trouve entraîné dans une relation nouvelle

au monde : dans une relation amoureuse et dramatique où il se voit affronté, comme le Christ, à
l'univers tourmenté des hommes. Il perçoit la
détresse du monde. Son mensonge aussi. Mais loin
de le mépriser et de le maudire pour autant, il se
sent pris d'une sainte compassion. A ce monde
triste et défiguré, il voudrait tant apporter la joie :
la grande joie divine d'exister.

Il ne peut accomplir cette mission à laquelle il se
voit appelé, sans communier vraiment à la souffrance des hommes. Cela le conduira à l'ultime
pauvreté du Christ, à la solitude de son agonie.
Paradoxalement la communion au monde se réa-
lisera dans une suprême solitude devant Dieu, dans
une sorte de délaissement intérieur que l'Esprit
Saint transformera en une suprême adoration.

Dans son roman, *La Joie*, G. Bernanos nous fait
voir d'une manière concrète, vivante et juste, cette
relation nouvelle et profonde qui se noue entre le
croyant ouvert à l'action de Dieu et le monde des
hommes. Une brève analyse de cet ouvrage peut
aider à mieux comprendre cette expérience que
nous sommes tous appelés à vivre d'une façon ou
d'une autre, si nous nous laissons mener par
l'Esprit.

L'action de ce roman se déroule dans le château
de M. de Clergerie, en Artois. Historien de petite
pointure, M. de Clergerie vit absorbé dans ses tra-
vaux, obsédé d'ambitions académiques. Il a perdu
sa femme. Il lui reste sa mère, une personne névro-
sée, et sa fille Chantal, une jeune fille intelligente
et lumineuse, qui sans la moindre ostentation mène
une vie d'union profonde à Dieu.

Sous la conduite de son guide spirituel, le vieux prêtre et ami, l'abbé Chevance, Chantal a choisi la voie de la simplicité évangélique. Cette voie d'ailleurs semble correspondre tout à fait à sa nature la plus spontanée. Elle trouve sa joie, en effet, à se sentir faite pour les petites choses. Elle se montre affectueuse et attentionnée à l'égard de son père, dévouée et délicate auprès de sa grand-mère malade, serviable dans la vie domestique. Ce qui ne l'empêche pas d'aimer à se promener avec ses deux grands chiens auxquels elle est très attachée affectivement. Figure radieuse, primesautière, toute de simplicité, de fraîcheur et de joie.

Une ombre cependant traverse soudain cet être de lumière. Son guide spirituel et vieil ami, l'abbé Chevance, vient de mourir. Elle l'a assisté dans ces derniers moments. La voici seule, sans guide. Mais ce n'est pas cela qui la bouleverse, mais bien plutôt cette mort elle-même dont elle a été le témoin et qu'elle ne comprend pas.

Elle s'attendait, en effet, à voir mourir un saint dans la paix et la joie de Dieu, dans une sorte de ravissement. Or la dernière image qu'elle garde de son guide et ami est celle d'un homme qui meurt dans le plus grand délaissement spirituel. Il est mort comme un pauvre homme, « redevenu homme entre les hommes dans un abandon solennel ». Cette agonie l'a déçue. Et c'est bien la première, la seule vraie déception qu'elle ait jamais connue. Elle aurait tant voulu communiquer au vieux prêtre mourant sa propre joie, cette joie que lui-même avait fait naître en elle ! « Elle ne pouvait imaginer que Dieu lui manquât jamais, et cependant ne l'avait-elle pas cherché en vain cette nuit mémorable ? Il s'était fait invisible et muet. » Chantal se retrouve donc seule, habitée par le mystère de cette mort qu'elle ne comprend pas. Elle n'en continue pas moins de suivre la voie tracée par son guide, celle de la simplicité évangélique. « L'amertume d'une telle mort n'avait pas affaibli sa confiance, bien que le souvenir qu'elle en avait gardé restât ainsi qu'une ombre entre elle et la présence divine qui était la source unique de sa joie. »

Elle avait repris le cours égal de son humble vie. Apparemment rien n'était changé. Et cependant, à partir de ce moment, l'étroit univers familier dans lequel elle était née, où elle avait vécu, prenait un aspect nouveau. Tout se transformait sous son regard, les lieux, les figures, les gestes, les voix... « Trop passionnée pour en concevoir la médiocrité, ou trop pure pour en jamais réaliser l'ignominie, elle ne sentait que leur tristesse. »

« Ainsi Mlle Chantal pouvait croire que rien n'avait troublé sa paix, terni sa joie, et déjà la plaie mystérieuse était ouverte d'où ruisselait une charité plus humaine, plus charnelle, qui découvre Dieu dans l'homme et les confond l'un et l'autre, par la même compassion surnaturelle. »

Tous ces êtres qui l'entouraient, elle les sentait maintenant si loin d'elle, si loin de sa joie : son père enfermé dans ses ambitions et ses soucis de carrière ; sa grand-mère murée elle aussi dans son personnage, dans le mensonge que symbolise le trousseau de clés dont elle ne peut se séparer ; Fiodor, le chauffeur russe, éthéromane à la recherche d'un faux mysticisme, un être faux et dangereux. « Qu'ils étaient errants et malheureux ! ... Pourquoi ? A ceux-là, comme au moribond, elle n'avait à donner que sa pauvre joie, sa joie aussi mystérieuse que leur tristesse... Et certes, elle la leur donnerait, dût-elle la donner en vain !»

Cette transformation s'était faite par degrés, insensiblement. « A la voir, à écouter son rire clair, à suivre, lorsqu'elle courait derrière ses deux grands chiens Pyrame et Thisbé, son ombre bleue sur le mur, l'observateur le plus attentif eût été bien en peine d'imaginer qu'elle venait de découvrir un monde où le moraliste n'avance qu'avec des pieds de plomb, de pénétrer d'un coup, d'un élan, comme par un jeu divin, si loin dans la douleur des hommes. Elle-même croyait toujours voir des mêmes yeux les personnages comiques ou tragiques dont elle savait familièrement les noms et les visages, et s'émerveillait d'y penser avec tant de pitié. Mais comment repousser une pitié à la fois si déchirante et si suave qu'elle finissait maintenant par éclater dans son regard... ?» En vérité, elle était entrée dans le mystère de la grande pitié de Dieu.

Et cette compassion surnaturelle, « pareille à une petite source diligente », jaillissait en prière. Jamais son union à Dieu n'avait été si étroite. Sans qu'elle en prît garde, « sa prière s'était elle aussi transformée, accordée à une expérience si nouvelle, tout intérieure, transcendante, de réalités dont elle n'avait jadis aucune idée ».

Autrefois elle disait à l'abbé Chevance : « Je parle à Dieu sans cesse »... « Mais aujourd'hui, du moins à ces rares moments de bienheureux repos, les paroles s'évanouissaient d'elles-mêmes sur ses lèvres... La tristesse refoulée, la pitié ou plutôt l'espèce de crainte douloureuse, pleine de compassion, qu'elle sentait désormais devant chaque visage humain, tout ensemble éclatait dans son cœur en une seule note profonde. Elle n'avait d'abord attaché aucune importance à cette nouveauté singulière : "Je m'endors en priant, songeait-elle, voilà tout..." Car elle ne pouvait trouver une autre explication qui la rassurât.» En réalité elle « tombait en Dieu ».

Mais un soir, ne la voyant pas descendre et venir à table, à l'heure habituelle, Fiodor, le chauffeur russe, poussé par une curiosité malsaine et se doutant de quelque chose, pénètre dans sa chambre et la surprend dans cet état d'extase. Elle qui aspirait tant à vivre cachée, dans une vie tout ordinaire, la voici désormais livrée en pâture à la curiosité de cet individu, comme aussi à l'inquiétude de son père qui voudra la faire examiner par un psychiatre.

Rien ne préparait Chantal à une telle épreuve. « Ce soir-là, surprise, pâle de honte devant l'intrus, elle lui avait dit simplement : "Je m'étais endormie." » Mais tandis qu'elle descendait lentement vers les lumières et les voix, l'idée de la solitude où elle allait s'enfoncer malgré elle, où sans doute elle devrait mourir, lui revint avec une telle force qu'elle s'arrêta naïvement, comme si son misérable destin eût dépendu de ce pas. Hélas ! s'il était vrai qu'elle ne fût qu'une malade, l'une d'entre ces pauvresses que trahissent la chair et le sang, qui amusent la curiosité des psychologues et des médecins, et dont les vraies servantes de Dieu parlent avec moins de pitié que d'aversion, que lui resterait-il donc en propre ? Rien. Pas même sa prière, pas un seul battement de son cœur. Cette pensée la traversa d'outre en outre ; elle en sentit littéralement le trait éblouissant. Il n'était rien d'elle qu'elle pût désormais offrir à Dieu sans crainte, sans réserves, ou même sans honte. La perfection, l'excellence de ce dénuement, la toute-puissance de Dieu sur une pauvreté si lamentable, la certitude de dépendre presque entièrement de ce que les hommes ont nommé le hasard, et qui n'est que l'une des formes plus secrètes de la divine pitié, tout cela lui apparut ensemble pour l'accabler d'une tristesse pleine d'amour, où éclata tout à coup la joie splendide... Alors elle se mit à fuir vers la lumière... »

Ah ! cette joie était bien autre chose que ce que pouvait imaginer Fiodor, le faux mystique. Non, ce n'était aucunement « un doux prodige, un conte d'enfant, plus blanc que la neige ». C'était la joie de la grande pauvreté, dans un cœur perdu d'adoration.

Ainsi celle qui avait espéré se cantonner dans une vie toute de simplicité et qui s'estimait faite pour de menus services, se trouvait malgré elle livrée au monde par le mystère de cette joie intérieure qui lui venait de son union à Dieu et qu'elle ne pouvait plus garder pour elle-même.

Chantal en était arrivée à ce point qu'elle ne savait plus ce qu'elle devait penser d'elle-même. Elle se voyait plongée dans une solitude où elle rejoignait maintenant le vieux prêtre dans son agonie. Elle avait le sentiment d'être perdue, au point de redouter ces moments où elle « tombait en Dieu » ; et elle faisait tout pour les éviter ou les retarder.

« Quand vous vous croirez perdue, disait le vieux Chevance, c'est que votre petite tâche sera bien près de sa fin. Alors, ne cherchez pas à comprendre, ne vous mettez pas en peine, restez seulement bien tranquille. Même la prière est parfois une ruse innocente, un moyen comme un autre de fuir, d'échapper — au moins de gagner du temps. Notre Seigneur a prié sur la croix, et il a aussi crié, pleuré, râlé, grincé des dents, comme font les moribonds. Mais il y a quelque chose de plus précieux : la minute, la longue minute de silence après quoi tout fut consommé. » Chantal se souvenait de ces paroles de son guide. N'était-ce pas là d'ailleurs la leçon de sa mort, le sens caché d'une agonie si humble, si délaissée qu'elle en avait été frappée de stupeur ?

« Restez seulement tranquille... Cette longue minute de silence... » Non, ce n'était pas possible. Dans un dernier sursaut, Chantal tente de résister, d'échapper, en essayant de se convaincre qu'elle était faite pour des tâches plus efficaces, que son guide l'a égarée et que lui-même s'est trompé. Mais finalement elle rend les armes et se laisse envahir par le mystère de Jésus crucifié. « Était-il donc si difficile, dira-t-elle alors, de me remettre entre Ses mains ? M'y voici. » « ... A présent, l'idée, la certitude de son impuissance était devenue le centre éblouissant de sa joie, le noyau de l'astre en flammes. C'était par cette impuissance même qu'elle se sentait unie au Maître encore invisible, c'était cette part humiliée de son âme qui plongeait dans le gouffre de suavité...» La dernière étape était franchie. « ... Les angoisses des dernières heures, les doutes et jusqu'à ses remords venaient de s'abîmer dans la prodigieuse compassion de Dieu. »

Et voici que d'elle rayonnait à présent, à son insu, la douce pitié de Dieu sur tous les êtres qui l'entouraient. De la manière la plus simple, elle délivrait sa grand-mère de son personnage, pacifiait son père, désarmait le psychiatre La Pérouse, par le mystère de simplicité qui l'habitait, jusqu'à l'abbé Cénabre qu'elle rendra lui aussi à la vérité après un affrontement dramatique.

Un seul échappera à cette paix contagieuse, Fiodor, l'homme faux et dangereux, qui ne pourra supporter plus longtemps cet être de lumière. Et une nuit on trouvera Chantal assassinée dans sa chambre. Morte, comme son vieux guide spirituel, dans le plus grand délaissement. « Elle aura tout renoncé, même sa mort », dira la cuisinière de la maison.

Ce roman est d'une rare profondeur humaine et mystique. Il nous fait assister à la rencontre et à l'affrontement de deux mondes, celui de la simplicité évangélique et celui de la duplicité et du mensonge, mais au-delà de tout manichéisme. L'être simple, uni à Dieu, achève de s'ouvrir à l'Esprit du Seigneur, en voulant communiquer sa joie aux autres ; il ne peut le faire qu'en entrant dans un mystère de compassion où il rejoint le Christ dans sa solitude et son agonie, mais aussi dans la puissance de sa résurrection.

8. Action et contemplation

Nous opposons volontiers l'homme d'action au contemplatif. Le premier se caractériserait par son efficacité, par sa capacité à réaliser une tâche historique ; le second, au contraire, poursuivrait un rêve intérieur, tourné vers un au-delà intemporel. Nous pouvons nous demander pourquoi action et contemplation sont le plus souvent pensées comme deux choses antagonistes. La simple observation des faits nous montre que la réalité n'est pas aussi simple, aussi tranchée.

Pour peu que nous y prêtions attention, nous remarquons, en effet, que l'homme, voué à une grande tâche, est lui aussi un contemplatif. La grande action naît toujours d'une vision d'immensité. Elle est un grand rêve qui prend corps et cherche à s'inscrire dans la durée créatrice.

L'opposition entre l'actif et le contemplatif ne vaut que si l'on considère l'un et l'autre sur un mode mineur. L'homme d'action, de petite pointure, est impatient de marquer le réel de son empreinte : il fonce, il multiplie les initiatives en tous sens. A vrai dire, il s'agite plus qu'il n'agit. Il se croit d'autant plus efficace que sa vue est courte et son monde petit. Il se persuade aisément qu'il va changer le cours des choses. Au regard de ce type d'homme d'action, le contemplatif ne peut apparaître que comme quelqu'un qui ne fait rien et ne se remue pas, bref comme un menhir dans la lande. La pensée qui contemple est ici assimilée à l'immobilisme et à la pensée qui rêvasse. Il y a, bien sûr, des contemplatifs qui ne contemplent pas grand-chose, tout comme il y a des hommes d'action qui ne font pas grand-chose.

Il nous faut dépasser cette opposition caricaturale. Si nous considérons le contemplatif et l'homme d'action, chacun dans sa véritable et pleine dimension, nous constatons que, loin de s'opposer, ils se rejoignent fondamentalement en ceci : l'un et l'autre ont affaire à la puissance : une puissance plus forte que leur volonté propre, plus vaste que leur dessein particulier et même que leur destinée personnelle. Ils ont affaire à la toute-puissance d'où le monde est sorti et qui se déploie dans l'univers. Une puissance magnifique, grandiose et redoutable. Que l'on songe à ce déchaînement, à ce déferlement de galaxies à travers un espace et un temps qui ne sont pas à notre mesure. « Disproportion », disait Pascal, à la vue de l'infiniment grand. Il a fallu, au dire des savants, quatre milliards d'années sur notre petite planète pour faire un homme ! Quatre milliards d'années à compter simplement des tout premiers débuts de la vie sur notre planète ! Que dire de toute l'évolution cosmique antérieure qui a permis la naissance et la formation de notre planète ! Cela donne le vertige. Eh bien, c'est à la source même de cette puissance que se trouvent affrontés aussi bien l'homme d'action que le contemplatif.

Le grand homme d'action sent frémir en lui quelque chose de la puissance créatrice. La vague première et formidable qui a soulevé le monde vient battre en lui. A un degré infinitésimal sans doute. Cependant c'est bien la même puissance, le même élan qui pousse l'homme à réaliser une grande tâche et ainsi à coopérer à la création de l'univers. D'instinct, l'homme d'action se fait l'auxiliaire, le complice de cette force grandiose. A tort ou à raison, il se considère toujours plus ou moins comme un homme providentiel, en prise directe sur la puissance créatrice et en charge de ses desseins.

Le contemplatif, lui aussi, se voit affronté à la toute-puissance. Mais il la ressent différemment. Il est fasciné par elle, ébloui par la fulgurance de cette grandeur unique que la Bible appelle la gloire de Dieu. Le contemplatif est un homme qui a rendez-vous avec la gloire de Dieu. A ses yeux, la création tout entière reflète cette gloire : « Les cieux racontent la gloire de Dieu » (Ps 19,2).

« C'est Yahvé qui fit les cieux. Devant lui, splendeur et majesté » (Ps 96,5-6). « C'est lui qui a fait les Pléiades et Orion, qui change en matin les ténèbres épaisses... » (Am 5,8).

Devant une telle splendeur, le contemplatif ne peut que s'écrier : « Qui est grand comme Dieu ! » (Ps 77,14). Mais, en même temps qu'il subit le charme de cette grandeur, il est saisi d'effroi. Car cette gloire fait vivre et mourir. Sur le mont Sinaï, Moïse demandait à Yahvé de lui faire voir sa gloire. Et Yahvé lui répondit : « Je ferai passer devant toi toute ma beauté et je prononcerai devant toi le nom de Yahvé... Mais tu ne peux voir ma face, car l'homme ne peut me voir et vivre... » (Ex 33, 18-20). « Malheur à moi, je suis perdu ! » s'écrie Isaïe à la vue de la gloire de Yahvé, qui s'est manifestée dans le Temple (Is 6,5). « A l'entour de Yahvé, règne une gloire redoutable » (Jb 37,22).

Touché par cet éclat insoutenable, l'homme prend, en effet, une conscience brûlante de son impureté et de son insignifiance : « ... Que crierai-je ? Toute chair est comme l'herbe et toute beauté comme la fleur des champs. L'herbe se dessèche, la fleur se fane quand passe sur elles le souffle de Yahvé... » (Is 40,6-8). Que pèsent nos jours, nos existences, nos mérites, quand se manifestent la puissance et la gloire de Yahvé ?

Mais l'expérience contemplative, dans la tradition judéo-chrétienne, ne s'arrête pas là. Cet effroi sacré n'est qu'un prélude. Un prélude nécessaire, certes. Car, sans lui, il ne saurait y avoir de haute contemplation. Il joue un rôle purificateur qui dispose à une révélation plus profonde. Prenant conscience de la réalité souveraine de Dieu, le contemplatif peut alors se livrer à un acte d'une grande envolée spirituelle : il adore. Aujourd'hui l'homme adore tout et rien. Autant dire qu'il ne sait plus ce que c'est qu'adorer. Il adore tout ce qui le flatte, tout ce qui va dans le sens de ses désirs. Il n'adore plus l'Unique. Il est la proie du multiple. Là est sans doute la cause cachée de ses angoisses les plus profondes. Il a désormais affaire à une puissance qu'il ne reconnaît plus et qui est devenue pour lui une puissance nocturne. Il n'en voit plus que l'ombre. Un soleil noir tombe sur sa vie.

Adorer est un acte de l'esprit, un acte de lucidité intérieure. L'homme qui adore a non seulement affaire à la Toute-Puissance, mais il reconnaît qu'elle est digne de l'être. Elle est digne parce qu'elle a créé toutes choses, parce qu'elle veut l'être, la vie, et non la mort et le néant. « Tu aimes, en effet, tout ce qui existe, et tu n'as de dégoût pour rien de ce que tu as fait ; car si tu avais haï quelque chose, tu ne l'aurais pas formé. Et comment une chose aurait-elle subsisté si tu ne l'avais voulue ? » (Sg 11,24-25). La Toute-Puissance montre par là qu'elle est vraie, bonne et sainte. La sainteté, voilà ce qui la rend digne d'adoration : « Adorez Yahvé, éblouissant de sainteté » (Ps 96,9). Si nous avions affaire à une force brutale, aveugle, ténébreuse, une force démoniaque, il ne faudrait pas l'adorer, mais plutôt la maudire, lui refuser tout hommage, et, si possible, lui résister. Le contemplatif adore la Toute-Puissance divine parce qu'elle est source de tout être, de toute vie, de tout bien, de toute sagesse. « La sagesse elle-même, dit l'Écriture, est un effluve de la puissance de Dieu, une émanation toute pure de la gloire du Tout-Puissant [...], miroir sans tache de l'activité de Dieu, image de sa bonté » (Sg 7,25-26).

Adorer, c'est reconnaître que Dieu est digne d'être Dieu : « Tu es digne, notre Seigneur et notre Dieu, de recevoir la gloire, l'honneur et la puissance, car c'est toi qui as créé l'univers. Il n'était pas et, par ta volonté, il fut créé » (Ap 4,11).

C'est la grandeur de la Bible que d'avoir révélé au monde que la Toute-Puissance créatrice est aussi une volonté de bien, une volonté sainte qui trouve son expression dans la Loi morale : une volonté créatrice d'un ordre moral, d'un règne de justice, d'amour et de paix : « Soyez saints, car moi, Yahvé, votre Dieu, je suis saint » (Lv 19,1).

Cet aspect bienveillant, bienfaisant, moral, de la Toute-Puissance n'est pas évident, il faut bien le reconnaître. La simple observation de la nature conduirait plutôt à penser que la puissance qui se manifeste dans l'univers se déploie, comme en se jouant, par-delà le bien et le mal. Une puissance créatrice certes, mais qui détruit aussi bien qu'elle crée. Avec la même facilité et la même insouciance. Un tremblement de terre, une éruption volcanique, un raz de marée, un ouragan peuvent en quelques instants ravager une région et faire mourir des milliers d'êtres. Et si nous portons notre regard, en arrière, sur la longue évolution de la vie, que voyons-nous ? C'est le plus fort, le plus rusé, le plus cruel qui impose sa loi. Aucune considération morale ne semble inspirer et guider une telle puissance. Et l'on serait tenté de conclure, avec Nietzsche, que l'univers est l'œuvre d'une force surabondante mais tout à fait amorale. Une force qui se joue de ce qu'elle crée elle-même. Un dieu artiste, sans doute, mais non un dieu moral. Il serait donc bien difficile d'adorer la Toute-Puissance si l'on s'en tenait simplement à ce que nous voyons dans la nature. Comment la reconnaître digne et sainte ? Pour découvrir la sainteté de la Toute-Puissance, il faut considérer l'ensemble de son œuvre, la contempler en se plaçant à son point culminant, là où elle émerge dans la lumière et où toutes les ambiguïtés sont levées, là où se révèle l'inspiration première. Pour nous chrétiens, ce point culminant, c'est le Christ, l'Homme-Dieu. Gardons-nous donc de séparer l'acte créateur de cette pure figure de lumière. C'est elle qui éclaire toute la création. En elle se révèle l'intention qui a présidé à toute l'œuvre. De cette figure, il faut dire ce que Bergson écrit des grands hommes de bien, mais en donnant à son jugement une valeur absolue : « Ils ont beau être au point culminant de l'évolution, ils sont plus près des origines et rendent sensible à nos yeux l'impulsion qui vient du fond. Considérons-les attentivement, tâchons d'éprouver sympathiquement ce qu'ils éprouvent, si nous voulons pénétrer par un acte d'intuition jusqu'au principe même de la vie. Pour percer le mystère des profondeurs, il faut parfois viser les cimes. Le feu qui est au centre de la terre n'apparaît qu'au sommet des volcans[1]. » Premier voulu,

1. H. Bergson, *Œuvres*, *op. cit.*, p. 834.

premier-né de toute créature dans la pensée du Créateur, le Christ fait éclater au grand jour « l'impulsion qui vient du fond ». En lui, la Toute-Puissance créatrice se révèle comme un élan d'amour, comme une vie ardente qui veut se communiquer en plénitude. En lui, se donne à contempler la vraie gloire de Dieu. En lui, nous pouvons adorer Dieu en esprit et en vérité. Cette adoration-là n'est donc pas une abdication de l'esprit. Elle en est tout le contraire. Elle est l'acte par lequel l'esprit s'affirme et s'ouvre à sa vraie grandeur, en respirant un air natal. L'homme qui adore laisse le souffle de sainteté le pénétrer et régner au fond de son être. Et cet espace intérieur qu'il offre à Dieu peut devenir toujours plus grand, plus vaste, plus profond, si bien qu'adorer, c'est grandir, se grandir. Dieu lui-même devient grand en nous. Toujours plus grand. Ainsi se réalise en l'homme l'image de Dieu : il devient un être rayonnant, solaire, un être dont la grandeur se mesure à sa capacité d'aimer et de se donner.

L'homme qui adore se libère de tout ce qui est petit, mesquin en lui : de son amour-propre, de ses petites ambitions, de ses impatiences... Et plus il se dépouille de ses étroitesses, plus il s'ouvre à la grande force communicante et communiante qui est à l'origine de toutes choses et qui se manifeste pleinement dans le Christ. Plus il voit tomber les barrières qui le séparent de l'acte créateur, et plus il perçoit la création comme une communication d'amour. L'énergie d'amour qui a créé le monde l'envahit et l'entraîne dans son élan. En lui, elle tend à se communiquer, comme la flamme, de proche en proche, à toute l'humanité. De cet amour qui consume le mystique chrétien, Bergson écrit : « Coïncidant avec l'amour de Dieu pour son œuvre, amour qui a tout fait, il livrerait à qui saurait l'interroger le secret de la création. Il est d'essence métaphysique encore plus que morale. Il voudrait, avec l'aide de Dieu, parachever la création de l'espèce humaine[2]...»

Évoquant le regard que François d'Assise portait sur le monde, Thomas de Celano écrit : « La Bonté qui est à l'origine de toutes choses et qui sera un jour tout entière en toutes choses, il la voyait déjà, dès cette vie, accomplie en tous les êtres[3].» Le Pauvre d'Assise voyait dans la création tout entière une communication d'amour dont la source est en Dieu et dont le Christ, l'Homme-Dieu, est déjà dans notre histoire l'expression achevée.

Par l'adoration, le contemplatif accède donc à la plus haute activité. Il participe à la genèse du monde et à son achèvement. La contemplation est comme la virginité : « Elle n'est précieuse que si elle enfante. Sinon, elle est comme une terre frappée de stérilité[4].» En même temps qu'il découvre le sens ultime du monde, le contemplatif coopère à son accomplissement. Il entre dans le grand jeu créateur.

Le fruit de cette activité n'est pas à chercher d'abord dans une réalisation historique particulière, extérieure à l'homme. C'est l'homme

2. Bergson, *Œuvres*, *op. cit.*, p. 1174.
3. *Saint François d'Assise. Documents*, *op. cit.*, 2 C 165, p. 464.
4. Angelus Silésius.

lui-même, son accomplissement, son élévation au plus haut niveau d'existence, qui sont ici l'ouvrage : l'homme grandiose, royal, objet de la contemplation divine du septième jour ; l'homme ouvert à la communication divine et rayonnant de l'amour créateur et divinisant, bref l'homme image de Dieu et partageant la vie même de Dieu dans le Christ. « Quel cadeau ferons-nous aux hommes ? » demandait P. Lippert. « Le meilleur cadeau, écrivait-il, le seul précieux que l'on puisse faire à l'humanité souffrante, c'est l'homme même, l'homme épanoui et mûr... Tout le bonheur de la terre vient de l'être de Dieu, mais cet être se manifeste et se communique en des hommes parfaits comme le Père céleste, des hommes dont la simple existence est déjà une chance pour le monde[5]. »

Le roi David voulait construire à Dieu une maison digne de lui. Il projetait de lui bâtir un temple magnifique en bois de cèdre, avec de belles formes esthétiques et des décorations princières. Un temple dont lui, David, serait le maître d'œuvre et qui resterait après lui comme la trace de son passage dans l'histoire. C'était assurément un beau rêve. Mais ce n'était encore qu'une ambition d'homme d'action. On connaît la réponse de Dieu : « Est-ce toi qui me construiras une maison pour que j'y habite ? » (2 S 7,5). « Yahvé te fait savoir qu'il te bâtira lui-même une maison » (2 S 7,11). Le Maître d'œuvre, c'est Dieu. Et la maison de Dieu, c'est l'homme : l'homme à qui Dieu veut se communiquer et en qui il veut habiter. Voilà

---

5. P. Lippert, *Bonté*, Aubier, éd. Montaigne, 1946, p. 70.

l'œuvre à laquelle coopère le contemplatif. Et il découvre en cela la gloire de Dieu. Car « la gloire de Dieu, c'est l'homme vivant[6] », l'homme vivant de la vie même de Dieu, l'homme dont le prototype est le Fils incarné, premier-né de toute créature et sens ultime de la création.

L'exemple le plus pur, le plus lumineux de cette attitude contemplative qui transfigure et accomplit l'être humain, nous le trouvons dans le *Cantique* de la Vierge Marie, tel que l'évangéliste Luc nous l'a rapporté. Ce Cantique chante un grand bonheur. Marie était une toute jeune fille juive. Elle appartenait à un peuple qui savait prier et adorer. Elle partageait la foi des Prophètes : la foi au Dieu unique, le Puissant et le Saint, la foi au Dieu de la Promesse et de l'Alliance. Cette foi était l'inspiration de sa vie ; elle lui avait révélé que la puissance de Dieu est à l'œuvre dans le monde et dans l'histoire, que cette puissance est capable de grandes choses ; et que, pour les accomplir, elle se sert des plus humbles, des plus petits. Un jour viendrait où Dieu enverrait son Messie qui guiderait son peuple vers un royaume de justice et de paix. Marie vivait dans cette espérance. Comment cela se réaliserait-il ? Marie ne se posait pas la question, vraisemblablement. L'important pour elle était d'espérer et de demeurer ouverte à l'imprévisible : à l'avenir du Dieu qui vient.

Aussi, quand l'ange de l'Annonciation passa dans son humble vie, à Nazareth, trouva-t-il en elle un cœur attentif, ouvert à l'Esprit et à la

6. Saint Irénée.

merveilleuse nouveauté du Royaume. Et Marie crut, malgré la conscience qu'elle avait de sa petitesse. Nul doute, cette annonce la bouleversa. L'Unique, le Tout-Puissant, le Saint, jetait les yeux sur sa petite servante ! Il la regardait d'un regard d'amour, il la choisissait entre toutes les femmes pour être la mère de son Messie. Marie crut à cet amour. Et son cœur frémit de joie. C'est ce bonheur qu'elle chante dans son *Magnificat*, le grand bonheur de se savoir ainsi aimée, enveloppée dans ce regard merveilleux, totalement inattendu :

« Mon âme chante la magnificence du Seigneur, et mon esprit bondit de joie en Dieu mon sauveur : Il a posé son regard sur sa petite servante. Désormais, tous les âges chanteront mon bonheur : Le Tout-Puissant a fait pour moi de grandes choses, Saint est son nom [7]... »

« Le Tout-Puissant... » : nous retrouvons ici la relation à la Puissance. Marie, elle aussi, est affrontée à la Toute-Puissance. Nous rabaisserions considérablement l'expérience religieuse qui s'exprime dans son Cantique, nous lui enlèverions son souffle, si nous passions sous silence cette relation à la Puissance divine. Comme Moïse, comme les prophètes, comme tous les brûlés de Dieu, Marie a rencontré dans sa vie cette Puissance qui fait vivre et mourir. Une Puissance qu'elle s'empresse de reconnaître digne de louange et d'adoration, car elle est sainte. Et sa sainteté éclate dans les grandes choses qu'elle accomplit. Marie

7. Lc 1,46-49.

100

fait elle-même cette expérience dans sa propre vie : « Le Tout-Puissant a fait pour moi de grandes choses. Saint est son nom. » Quelles sont ces « grandes choses » ? En cet instant, Marie découvre Dieu à la lumière de ce regard unique qu'il porte sur elle et qui la remplit d'une joie inexprimable. Ce Dieu si puissant, si saint, qu'elle servait fidèlement dans la conscience de sa petitesse, pouvait-elle espérer qu'un jour il se communiquerait à elle de façon aussi intime, aussi profonde ? Pouvait-elle le concevoir si grand et si proche à la fois ? Pouvait-elle espérer être aimée à ce point ? Jamais elle n'aurait imaginé être elle-même « la joie de son Dieu comme la fiancée est la joie de son fiancé ». Et pourtant c'était bien ce bonheur qui lui était échu. Elle était désormais « une couronne brillante dans la main du Seigneur, un diadème royal entre les doigts de son Dieu ».

Et voici que sa vision s'élargit. Elle n'est pas seule en cause dans ce regard d'amour qui s'est arrêté sur elle. Marie voit et contemple, à la lumière de ce regard, tout le déroulement du dessein de Dieu sur son peuple et sur l'humanité : « Son amour s'étend d'âge en âge sur ceux qui le craignent. » Oui, cet amour qui la visite vient de très loin et va très loin : il embrasse toute l'histoire. Tous les petits, tous les pauvres sont bénis, illuminés par ce regard d'amour.

Il y a des chants qui jaillissent d'une telle profondeur d'âme, d'une telle joie ou d'une telle souffrance, qu'ils nous saisissent et nous remuent intérieurement. Faisant vibrer en nous ce qu'il y a de plus profond, ils nous arrachent à notre moi superficiel, à nos étroitesses et à nos mesquineries ; et ils nous ouvrent, comme par enchantement, à une humanité plénière, au mystère de l'homme et du monde. Moments bénis où nous entrevoyons des aurores divines.

Le chant de cette jeune fille juive, si nous savons l'entendre, est de ceux-là. C'est le chant d'un monde délivré. Le plus humble, le plus petit, le plus pauvre est béni, relevé, comblé par ce seul regard que le Tout-Puissant a posé sur sa petite servante. Toute existence en est justifiée. Ce regard dépasse le temps, tous les temps. Il les englobe tous, à vrai dire. Il brillait, comme une aurore, dans la promesse faite à Abraham, comme le rappelle Marie. Il brillait déjà dans le premier regard de Dieu, avant même la création du monde, quand il contemplait le Premier-né de son amour. En regardant son humble servante, il se souvenait de ce premier amour d'où le monde lui-même est sorti :

« ... Se souvenant de son amour,
comme il l'avait annoncé à nos pères,
en faveur d'Abraham et de sa postérité à jamais ! »

Yahvé avait dit à Abraham par une belle nuit d'Orient : « Regarde les étoiles du ciel, compte-les si tu peux. Eh bien ! plus nombreuse sera ta descendance. » En cet instant du *Magnificat*, l'âme de Marie reflétait, dans tout son éclat, le ciel innombrable de la Promesse. Et jamais sans doute la voie lactée ne fut autant « la sœur lumineuse des blancs ruisseaux de Canaan[8] ».

8. Apollinaire.

9. Le pauvre et la gloire

Au début de cet ouvrage, j'ai évoqué brièvement la figure de François d'Assise, en manière d'introduction et comme prélude. Cette figure n'a cessé de m'inspirer tout au long de ces pages. Je voudrais maintenant revenir plus explicitement sur cette inspiration franciscaine. Elle me semble, en effet, répondre à l'inquiétude du moment et offrir un chemin d'union à Dieu, approprié à notre temps.

Beaucoup de croyants peuvent aujourd'hui ressentir comme une angoisse devant un monde qui paraît s'installer massivement dans une incroyance pratique. La tentation du repli peut les guetter et assombrir leur foi, alors qu'ils sont appelés à révéler au monde un visage du Christ, plus dépouillé, plus lumineux et plus vrai. Sur ce chemin de pauvreté spirituelle, François d'Assise a quelque chose d'essentiel à nous dire. Par sa contemplation de Dieu, il est une lumière. « Dans la nuit, dit le proverbe, mieux vaut allumer une chandelle que de maudire les ténèbres. » C'est ce que François a fait de son temps et qu'il nous invite à faire aujourd'hui.

Dans son ouvrage, *Le Temps des cathédrales*, l'historien Georges Duby écrit à propos de François d'Assise : « Cet homme fut bien, avec le Christ, le grand héros de l'histoire chrétienne, et l'on peut dire sans excès que ce qui reste aujourd'hui de Christianisme vivant vient directement de lui[1]. » Le jugement paraîtra excessif. Pourtant on peut, sans crainte de se tromper, penser avec P. Lippert que « si Dieu accorde quelque jour à son Église l'ordre religieux de l'avenir, vers lequel tendent déjà aujourd'hui tant de regards, il portera sans doute les traits spirituels de François d'Assise[2] ». « Un homme du siècle à venir », c'était déjà ainsi que le Pauvre d'Assise apparaissait à son premier biographe[3].

En 1982, à l'occasion du huitième centenaire de saint François, la télévision française lui consacra une émission. Cette émission, dirigée par Bernard Pivot, réunissait comme intervenants des hommes

1. *Le Temps des cathédrales*, Gallimard, 1976, p. 170.
2. P. Lippert, *La Bonté*, Aubier, 1946, p. 120.
3. Cf. 1 Cel 82.

aussi divers que Omer Englebert, Henri Queffélec, Philippe Sollers, André Frossard... Une chose me frappa : ce fut l'intervention de Philippe Sollers. Queffélec s'était présenté sur le plateau, comme le naïf du village, avec une feuille de platane et un coquillage dans les mains, et il se mit à parler de François, l'ami de la nature, l'écologiste avant la lettre. Il était tout à son lyrisme à fleur de pâquerettes, lorsque Philippe Sollers l'interrompit assez vivement, en disant : « Mais François d'Assise, cet homme qui meurt en chantant un psaume, c'est tout de même autre chose ! » Décontenancé, Queffélec regardait sa feuille de platane se faner subitement entre ses mains. Et Sollers d'ajouter : « Derrière François, il y a toute la Bible. »

Oui, derrière François, il y a toute la Bible. Il y a toute l'histoire du peuple de Dieu. Il y a surtout l'expérience et le chant des Pauvres de Yahvé. Dans une Église prise au piège du système féodal et devenue elle-même une puissance temporelle, François a retrouvé le grand souffle libérateur des Pauvres de Yahvé. Et porté par cette inspiration, il a redécouvert et reproduit le vrai visage du Christ ; il a rendu à l'Église ce visage rayonnant.

François, on le sait, aimait prier les psaumes. C'est dans les psaumes qu'il a rencontré ce type achevé d'homme biblique qu'est le Pauvre de Yahvé. Thomas de Celano, son premier biographe, nous dit que « les psaumes qu'il chantait avec le plus de joie et d'amour étaient ceux qui glorifient la pauvreté, par exemple : ''Le pauvre ne sera pas oublié pour toujours'' et ''Les pauvres verront

Dieu et se réjouiront[4]" ». François s'est reconnu dans ce type d'homme.

Ce qui caractérise la spiritualité des Pauvres de Yahvé, telle qu'elle s'exprime dans les psaumes, c'est avant tout un très grand sens de Dieu. Souvent méprisés et persécutés par les puissants et les riches, ces Pauvres n'avaient d'autre recours que Yahvé. Le Tout-Puissant était leur seule richesse et leur seul refuge. Ils lui criaient leur détresse et s'en remettaient totalement à lui. Leur paix, leur abri, leur force, ils les trouvaient dans l'adoration de l'Unique.

Les Pauvres de Yahvé étaient ces hommes et ces femmes qui avaient retenu la grande leçon de l'Exil. Le long Exil du peuple de Dieu dans l'empire babylonien avait été la période la plus sombre de son histoire, la plus éprouvante pour sa foi, mais aussi la plus décapante, la plus purifiante. Le temple avait été détruit, le peuple en partie déporté, dispersé dans l'empire païen. La nation, en tant que telle, n'existait plus. Plus de roi, plus de prêtres, plus de cadres, plus de lieux pour le culte. Tout semblait perdu. Tout laissait croire à un abandon de son peuple par Yahvé. Et voici qu'au milieu de ce dépouillement et de cette déréliction la Gloire de Dieu se manifeste au prophète Ezéchiel sur les bords de l'Euphrate, en exil précisément, loin de Jérusalem, loin de la Terre promise... La présence de la Gloire, en ce lieu, clamait à qui voulait l'entendre : Quand tout est perdu, il reste cette réalité transcendante : Dieu est. « La

4. *Saint François d'Assise. Documents, op. cit.*, 2 C 70, p. 385.

couronne est tombée de notre tête (...). Mais toi, Yahvé, tu demeures à jamais, tu règnes éternellement » (Lm 5,16.19).

Et en même temps, ce Dieu qui n'est lié à rien, ni au temple, ni à Jérusalem, ni à la Terre promise, se révèle proche du cœur brisé, humilié. Il se tient près du pauvre. Il a pitié du faible ; il le relève de la poussière et lui montre sa Gloire. Ce courant biblique de spiritualité s'est maintenu en Israël jusqu'à la venue du Christ. On le retrouve, en effet, chez ces hommes et ces femmes qui attendaient, dans l'ombre et avec une patience infinie, la *Consolation* d'Israël, non comme une manifestation de puissance temporelle, mais comme une effusion de l'Esprit de paix et de justice. Le vieillard Siméon et Anne la prophétesse en sont des exemples. Et surtout la Vierge Marie. Son Cantique *Magnificat* est l'expression achevée de la spiritualité des Pauvres de Yahvé. Jésus lui-même vient couronner cet idéal de pauvreté, par sa vie et son message. En proclamant la pauvreté comme la première des Béatitudes, celle qui ouvre les portes du Royaume, il se présente comme l'héritier de ce grand souffle biblique. Il n'hésite pas à se classer lui-même parmi les petits et les pauvres à qui le Père révèle ses secrets. Il se déclare « doux et humble de cœur », « consacré par l'Esprit pour annoncer la Bonne Nouvelle aux pauvres ».

C'est précisément cette inspiration que François d'Assise retrouve dans son cheminement vers Dieu. Tournant le dos aux seigneuries d'Église comme à la puissance de l'argent, il entre dans le sillage des Pauvres de Yahvé. Jésus Christ lui apparaît comme le Pauvre par excellence. C'est ainsi qu'il le contemple, comme le montre l'*Office* qu'il composa à partir de certains psaumes : il met dans la bouche du Seigneur humilié, bafoué, abandonné, la prière des Pauvres de Yahvé, leurs cris de détresse et de confiance :

> « Je crie vers mon Père, le Très Saint, le Très-Haut, vers Dieu, qui a tant fait pour moi[5]... »

Nul doute que François n'ait exprimé, dans cet *Office*, en même temps que sa douloureuse expérience spirituelle, le secret de son union à la Pâque du Christ.

La vie du Pauvre d'Assise ne fut pas, en effet, un doux rêve. Les souffrances physiques ne lui furent pas épargnées. Au cours de son voyage au Proche-Orient, il contracta une ophtalmie purulente qui le rendit presque aveugle. A cela s'ajoutèrent d'autres infirmités et maladies. Et surtout une très grande épreuve morale s'abattit sur lui et laboura son âme. Les dissensions qui s'élevèrent au sein de son Ordre le jetèrent dans le trouble et l'angoisse. La fraternité qu'il avait créée dans l'enthousiasme et qui avait connu un rapide succès, voici qu'elle lui échappait. D'autres voulaient la récupérer, en l'organisant selon le modèle des anciens Ordres. C'en était fini, semblait-il, de l'idéal primitif de simplicité, auquel François tenait tant. Sa santé, son Ordre, tout se défaisait en même temps. Sa démarche de paix auprès du

---

5. *Psautier de saint François*, Ps 3,3, *Saint François d'Assise. Documents, op. cit.*

sultan d'Égypte avait elle-même tourné court. Apparemment c'était l'échec sur toute la ligne. Son état de santé s'aggravant, il dut démissionner de sa fonction de ministre général de l'Ordre, à un moment où les frères avaient tant besoin de lui. Il connut alors une profonde détresse intérieure. Il ne savait plus ce que Dieu attendait de lui. Il se retira dans la solitude d'un ermitage. Pauvre comme jamais il n'avait souhaité de l'être.

Dans ces heures sombres, il s'unissait au Christ abandonné, en reprenant les psaumes de déréliction. Il ne faisait plus qu'un avec le Pauvre de Yahvé par excellence. Et, comme Jésus, il se laissait dessaisir de tout, y compris de son œuvre. S'en remettant totalement à Dieu, il devenait lui-même l'œuvre du Très-Haut. Il entrait ainsi dans la profondeur du mystère pascal ; il vivait la rencontre du Pauvre et de la Gloire. Il pouvait dire, lui aussi :

« Ils m'ont couché dans la poussière de la mort (...).
Je me suis endormi (...). Mais je me suis relevé :
mon Père très saint m'a reçu dans sa Gloire.
Père saint, tu m'as pris par la main droite,
tu m'as accueilli dans ta Gloire[6]... »

Désormais libre de toute angoisse, de toute crispation intérieure, François se sent renaître ; il fait connaissance avec la joie divine d'exister ; il est devenu le confident de cette Gloire « qui ne sait pas expliquer mais remplir ». C'est à la lumière de cette expérience décisive que nous pouvons découvrir la profondeur du regard que François porte sur Dieu.

6. *Psautier de saint François*, Ps 6,10-12. Cf. *Saint François d'Assise, op. cit.*

Quand on lit les différentes prières que nous a laissées le Pauvre d'Assise, on s'aperçoit qu'elles sont toutes inspirées par un très grand sens de Dieu. « Dieu très haut et glorieux », ce sont les premiers mots de sa prière devant le crucifix de Saint-Damien. Combien de fois ne les a-t-il pas redits au moment de sa conversion ! Ce mystère de la Gloire de Dieu n'a cessé de l'accompagner tout au long de son cheminement spirituel. Au début de chacune de ses prières, on retrouve l'évocation de la transcendance de Dieu. Voici quelques exemples :

« Dieu tout-puissant, éternel, juste et bon[7]... »

« Très haut, tout-puissant et bon Seigneur[8]... »

« Tout-puissant, très saint, très haut, souverain Dieu[9]... »

« Tu es le seul saint, Seigneur Dieu,
toi qui fais des merveilles !
Tu es fort, tu es grand,
tu es le Très-Haut, le roi tout-puissant[10]... »

« ... Il est le seul bon, le seul très haut, le seul tout-puissant,
admirable, glorieux et le seul saint[11]... »

Devant l'infinie majesté de Dieu, François ne cherche pas à ramener la réalité divine à sa mesure.

---

7. Oraison finale de la *Lettre à tout l'Ordre. Saint François d'Assise, op. cit.*, p. 127.
8. *Cantique des créatures*, v. 1. *Ibid.*, p.169.
9. 1 R 23,1. *Ibid.*, p. 78
10. *Louanges de Dieu*, v. 1 et 2. *Ibid.*, p. 152.
11. 1 L 62. *Ibid.*, p. 115.

Il laisse Dieu être Dieu, dans sa démesure, si l'on peut dire. Il l'accueille dans toute sa hauteur, sa largeur et sa profondeur. « Dieu, écrit-il, est inénarrable, ineffable, incompréhensible, impénétrable, béni, louable, glorieux, sublime[12]... » François multiplie les qualificatifs ; il n'en trouve pas d'assez fort pour évoquer la transcendance divine. Le Dieu qu'il contemple est au-delà de ce qu'il peut en dire et même concevoir. Il est le « Très-Haut », le « Très Saint », le « Tout-Puissant ».

Rien ne rend mieux ce sens de Dieu, chez François, que la première strophe de son *Cantique des créatures*[13] :

> « Très haut, tout-puissant et bon Seigneur,
> A toi les louanges, la gloire, l'honneur
> Et toute bénédiction ;
> A toi seul ils conviennent, Très-Haut,
> Et nul homme n'est digne de te nommer. »

Aussi, quand on oppose le Pauvre d'Assise au « Très-Haut » pour en faire simplement un familier du « Très-Bas », un « Dieu à hauteur d'homme, d'enfance », on ne respecte pas vraiment son expérience spirituelle. On laisse s'échapper le grand souffle biblique et mystique qui l'inspire et l'habite. Devant Dieu, « très haut et glorieux », François, tout comme les Pauvres de Yahvé, se courbe intérieurement. Il se sent si

12. 1 R 23,11. *Ibid.*, p. 81.
13. *Ibid.*, p. 169.

pauvre et si petit. Il ne peut s'empêcher de murmurer : « Qui êtes-vous, Seigneur ? Et que suis-je ? »

Mais la conscience de sa faiblesse et de son indignité, loin de l'accabler et de l'attrister, l'ouvre au contraire à la grande joie de l'adoration. Il se réjouit de ce que Dieu seul est Dieu. Les soucis d'amour-propre, de perfection personnelle, de réussite morale ou apostolique, passent à l'arrière-plan. Tout s'efface, tout est balayé. Il reste cette seule réalité : Dieu est. Tel un grand ciel bleu, après l'orage. Il suffit que Dieu soit Dieu. Lui seul est toute sainteté. Et, dans cette acceptation sans réserve de la réalité divine, François se sent envahi d'une joie très pure. La joie d'un cœur qui vit plus en Celui qu'il contemple qu'en lui-même. Pauvre jusqu'à la racine de l'être, il contemple, ébloui, la Gloire qui se révèle à lui.

On comprend dès lors l'insistance de François auprès de ses frères pour qu'ils écartent tout ce qui peut faire obstacle en eux-mêmes à une telle expérience. Il voudrait tant qu'ils connaissent eux aussi cette joie de « l'adoration d'un cœur pur ». « Dans la sainte Charité qu'est Dieu, écrit-il dans la première *Règle*, je prie tous mes frères... de s'employer de leur mieux à supprimer tout empêchement, à rejeter tout souci, tout tracas, pour servir, aimer, adorer et honorer le Seigneur dans la pureté du cœur et de l'esprit. Car c'est cela que lui-même désire par-dessus tout[14]. » « Aimons donc Dieu et adorons-le d'un cœur pur et d'un esprit pur. C'est cela qu'il demande par-dessus tout,

14. *Première règle*, 22,26. *Ibid.*, p. 76.

quand il dit : "Les vrais adorateurs adoreront le Père en esprit et en vérité" [15].» Et François laisse entrevoir un peu de cette expérience émerveillante, quand il écrit : « N'ayons donc d'autre désir, d'autre volonté, d'autre plaisir et d'autre joie que notre Créateur, Rédempteur et Sauveur, le seul vrai Dieu, qui est le Bien plénier, entier, total, vrai et souverain ; qui seul est bon, miséricordieux et aimable, suave et doux [16]... »

Un thème revient constamment dans les louanges que François adresse à Dieu. On le retrouve en chacune de ses prières. Ce thème est le suivant : « Dieu est le Bien, le Bien souverain, total, source de tout bien.» Nul doute que, par ces mots répétés comme un refrain, François n'ait voulu exprimer quelque chose de la « très douce mélodie qui chantait dans son cœur [17] ».

Cette louange éclaire le regard que François porte sur l'intimité du Dieu vivant ; elle nous fait voir un rayon de cette Gloire qui illumine le cœur du pauvre. François a de Dieu une vision solaire. Il le voit avant tout comme une souveraine communication de bien. Dieu, le Bien plénier, infini, ne se possède pas, il ne se garde pas jalousement lui-même. Il se communique généreusement. Il rayonne avec grande splendeur, comme le soleil qui en est le symbole (cf. *Le Cantique des créatures*). Tel est son être : une Plénitude débor-

15. Lettre 2 à tous les fidèles, v. 19. *Ibid.*, p. 111.
16. *Première règle*, 23,9. *Ibid.*, p. 81.
17. 2 C 127. *Ibid.*, p. 432.

dante de bien. Et François voit cette Plénitude se répandre de la manière la plus intime, en tous ceux qui l'accueillent :

> « ... les illuminant pour qu'ils te connaissent,
>   car tu es, Seigneur, la lumière ;
> les enflammant pour qu'ils t'aiment,
>   car tu es, Seigneur, l'amour ;
> habitant en eux et les emplissant de ta divinité
> pour qu'ils aient le bonheur,
>   car tu es, Seigneur, le bien souverain,
> le bien éternel, de qui vient tout bien,
> sans qui n'est aucun bien[18]. »

Et rien ne saurait arrêter cette communication du Bien souverain : « Malgré nos faiblesses et nos misères, nos corruptions et nos hontes, nos ingratitudes et notre méchanceté, il ne nous a fait et ne nous fait que du bien[19]. » Aux yeux de François, la communication de Dieu au monde trouve son expression plénière dans l'humanité du Christ. S'il aime tant à contempler la vie du très haut Fils de Dieu, depuis sa naissance dans la crèche de Bethléem jusqu'à sa mort sur la croix, c'est parce qu'il y découvre la mesure, sans mesure, de la communication de Dieu au monde. En son Fils fait homme, Dieu s'est donné totalement à notre humanité.

Or, à travers le don qu'il nous fait de lui-même, en son Christ, Dieu laisse entrevoir en son sein une communication originelle, éternelle et souveraine, qui ne fait qu'un avec son Être. Il *est* cette souveraine communication : « Tu es trois et tu es

18. *Pater paraphrasé. Ibid.*, p. 142.
19. 1 R 23,8. *Ibid.*, p. 81.

un, Seigneur Dieu, toi le Bien, Bien total et souverain[20]... » Nous touchons ici à la pointe du regard de François sur l'intimité du Dieu vivant. Dans la divine Trinité, la communication est parfaite parce que la désappropriation est totale. Aucune des trois Personnes divines, Père, Fils et Esprit Saint, ne se garde jalousement elle-même. Aucune ne s'approprie la divinité. Aucune ne dit : moi ! Chacune n'existe que donnée entièrement à l'autre. Elles ne se distinguent que par la manière de se donner. Mystère d'amour, la communion trinitaire est aussi un mystère de pauvreté.

Si François s'est attaché si fortement et si tendrement à « Dame Pauvreté », au point de lui vouer un vrai culte et de lui donner une telle place dans son cœur et dans sa vie — une place unique à vrai dire —, c'est, comme le fait remarquer très justement Maurice Zundel, parce qu'il voyait en elle le mystère même de Dieu : une Vie qui ne se possède pas et qui trouve sa Gloire dans une communication infinie. Un Amour d'autant plus fort qu'il est absolument pur de toute volonté de possession.

Ainsi s'accomplit la rencontre du pauvre et de la Gloire : « Ne retenez donc pour vous rien de vous, afin que vous reçoive tout entiers Celui qui se donne à vous tout entier[21]. » Ce regard contemplatif, loin de détourner de l'action, met l'homme dans un état de complète disponibilité au service du Royaume. On ne peut séparer, dans la vie de

20. Louanges de Dieu, v. 3. *Ibid.*, p. 152.
21. 3 L v. 29. *Ibid.*, p. 124.

François, son action visant à créer une vraie fraternité entre les hommes et son regard sur l'intimité de Dieu. Il cite, dans la première Règle, ce passage de la prière de Jésus : « Père, garde en ton nom ceux que tu m'as donnés, pour qu'eux-mêmes soient un comme nous[22]... » Cette citation montre le lien étroit qui existe dans la pensée de François entre son idéal de fraternité et sa contemplation de la Trinité divine. L'unité qui doit régner entre les frères s'inspire de la communion trinitaire. Elle a sa source et son modèle dans cette communion. La pierre de touche d'une fraternité évangélique sera toujours cette unité qui permet à chaque personne d'être pleinement elle-même, en se donnant totalement à tous, à l'image de Dieu-Trinité.

La plus haute contemplation remplissait donc le cœur du Pauvre d'Assise d'un grand souffle créateur. Cependant, à un moment donné de sa vie, François fut tenté de renoncer à l'action pour se consacrer uniquement à la contemplation dans la solitude d'un ermitage. La vie d'union à Dieu dans le silence de l'adoration le fascinait. Mais était-ce bien la volonté de Dieu sur lui ? La question le plongea dans un doute angoissant. Il envoya donc consulter sœur Claire, la contemplative. Il aimait Claire et ses sœurs d'une paternelle affection pour la sainte vie qu'elles menaient et parce que c'était lui qui, avec la grâce de Dieu, les avait conseillées et guidées dans leur vocation. Claire, de son côté, gardait une grande reconnaissance à François pour lui avoir montré la voie de la pauvreté et de la

---

22. 1 R 22,45. *Ibid.*, p. 77.

simplicité évangéliques. Maintenant c'était François qui venait quêter un peu de lumière auprès d'elle.

Claire n'hésita pas un instant. Elle fit répondre à François qu'il devait continuer son activité d'évangélisation. Ce faisant, elle n'avait aucunement l'intention de le détourner de la contemplation. Elle était trop convaincue de l'importance de celle-ci. Pour Claire comme pour François, l'expérience évangélique était inconcevable sans ce regard émerveillé qui, à travers l'existence humble et pauvre du Christ, découvre et contemple la gloire intime du Dieu vivant. Elle s'est exprimée sur ce sujet dans ses *Lettres* à Agnès de Prague, notamment dans la troisième et la quatrième. Elle utilise à cette fin la symbolique du miroir. Une symbolique bien féminine. Elle invite Agnès à « placer son esprit devant le miroir de l'éternité ». Ce miroir est l'humanité du Christ, considérée dans son cheminement terrestre, depuis sa naissance jusqu'à sa mort sur la croix[23]. Or l'image de Dieu que reflète ce miroir vivant n'est pas un simple reflet passif. C'est l'image d'un Dieu qui vient vers l'homme pour lui communiquer sa vie et sa joie. Le reflet est ici communication. Contempler, c'est s'ouvrir à cette communication qui nous transforme à l'image de Celui que nous contemplons : « Transforme-toi tout entière par la contemplation à l'image de sa divinité[24]... » On ne

23. Cf. *Sainte Claire d'Assise. Documents*, Éd. Franciscaines, p. 129-135.
24. *Ibid.*, p. 130.

peut contempler, sans entrer soi-même dans ce courant d'amour qui a fait « sortir » Dieu de lui-même pour se communiquer au monde, en son Fils unique.

Dans cette lumière, le vrai contemplatif n'est pas celui qui se retire dans la solitude pour se garder de toutes les agressions du monde. C'est l'homme qui ne s'appartient plus et qui offre à tous cette présence totale, solaire, qui n'est rien d'autre finalement que le signe de la communication de Dieu au monde. Cette présence rayonnante est le reflet de la gloire divine sur le visage du pauvre. Voilà ce que Claire a bien compris et rappelé à François, quand il fut tenté de tourner le dos aux hommes pour voir Dieu d'un peu plus près.

Conclusion

On s'accorde à reconnaître qu'un nouvel élan spirituel serait aujourd'hui bien nécessaire dans nos pays de vieille chrétienté. Il y a un véritable appel en ce sens, même s'il est ressenti confusément et de façons diverses. Les signes en sont multiples : attrait des sagesses orientales, fascination exercée par les lieux de prière et de contemplation, succès des sectes et surtout désarroi profond des esprits en quête de sens. Ce sont là autant d'indices révélateurs d'un manque et d'une recherche.

Le défaut d'une certaine présentation du message chrétien dans l'Église est de s'adresser trop exclusivement à l'intellect, d'en rester à une simple transmission de vérités toutes faites, coupées de l'expérience brûlante qui les a révélées. Aujourd'hui les hommes éprouvent de plus en plus de difficulté à embrasser un ensemble doctrinal qui leur « tombe dessus », sans qu'ils soient atteints eux-mêmes concrètement, vitalement, par ce message, dans la singularité de leur vie, de leurs aspirations, de leurs souffrances et de leurs espérances. Avant d'adhérer à une doctrine, ils veulent en éprouver la valeur ; ils veulent saisir la relation entre la vérité qu'on leur propose et leur vie profonde, plénière.

Au regard de l'homme moderne, comme le fait remarquer Maurice Zundel, « toutes les visions, toutes les apparitions, tous les miracles, toutes les prophéties, tous les livres sacrés suscitent nécessairement une question préalable : est-ce que la vie en est accrue, transfigurée, libérée ? Si la vie n'en reçoit aucune lumière ni aucune promotion, quel sens auraient les miracles, les révélations, les visions et les livres sacrés ? C'est la hauteur de la vie qui sert pratiquement de critère[1]. » La hauteur de la vie, c'est-à-dire l'élévation de l'homme, son accomplissement.

A l'origine du christianisme, il y a, avant toute doctrine élaborée, la rencontre bouleversante d'une Personne en qui s'est révélée une plénitude de vie ; il y a le Christ dont la vie, toute donnée, est apparue comme le rayonnement de la vie divine elle-même. Le début de la première Lettre de Jean se

---

1. Marc Donzé, *L'humble présence*, *Inédits* de M. Zundel, t. 1, p. 15, Genève, 1986.

fait l'écho de cette rencontre : « Ce qui était dès le commencement, ce que nous avons entendu, vu de nos yeux, contemplé, touché de nos mains du Verbe de vie — car la Vie s'est manifestée... cette Vie éternelle qui était tournée vers le Père et qui nous est apparue — ce que nous avons vu et entendu, nous vous l'annonçons, afin que vous aussi soyez en communion avec nous. Quant à notre communion, elle est avec le Père et avec son Fils Jésus Christ. Tout ceci, nous vous l'écrivons, pour que notre joie soit complète » (1 Jn 1,1-4). Voilà un texte fondateur ! On y entrevoit une expérience si dense, si forte qu'aucune expression ne peut la traduire. Le discours éclate littéralement. Les mots se bousculent. Une telle expérience est de l'ordre de la rencontre existentielle et de la communication vivante. Aucune notion ne peut la cerner et la transmettre vraiment. Tout ce que peuvent en dire les témoins et les bénéficiaires, c'est : « Nous avons vu de nos yeux et nous avons contemplé... »

Il nous faut retrouver cette contemplation. Elle seule peut nous replonger dans l'expérience originelle et nous faire voir « ce qui était dès le commencement ». Elle seule peut nous ouvrir à cette plénitude de vie qui rayonnait de la personne vivante du Christ. En dehors de cette expérience brûlante, il n'y a que cendres refroidies : une dogmatique abstraite et une morale impossible.

Je voudrais, en conclusion de cet ouvrage, regrouper autour de quelques points essentiels la vision de foi que j'ai développée au long de ces pages, comme chemin de contemplation. Cela, afin d'aider à retrouver le regard ébloui des premiers témoins.

1. La communication de Dieu

« La Vie s'est manifestée... » La vie intime de Dieu s'est révélée en se communiquant. Voulant caractériser d'un mot cette vie ardente, Jean écrit : « Dieu est amour » (1 Jn 4,8 et 16). Là est « le cœur véritable et unique du christianisme et de son message[2] ». Cette violence d'amour, cette sortie de Dieu de lui-même pour se communiquer à sa créature est la plus invraisemblable des vérités et, en même temps, la plus centrale, la plus fondamentale. Le Dieu vivant, dans son mystère de vie, vient réellement à nous, en nous, en plein dans nos existences finies de créatures. Il s'unit à nous. Plus justement : il nous unit à lui, il nous introduit dans son mystère ; il nous fait communier à sa vie intime : « Notre communion, écrit Jean, est avec le Père et son Fils Jésus Christ » (1 Jn 1,3).

Il en découle une conséquence importante : contempler pour le chrétien, c'est tout d'abord s'ouvrir à une communication de vie divine qui nous fait participer à la communion trinitaire elle-même. La contemplation chrétienne ne peut être qu'une communion. Personne, en effet, n'a jamais vu Dieu. Il ne se manifeste qu'en se communiquant, car il est lui-même en ses profondeurs un mystère de communication : une communion infinie où chaque Personne divine se « définit » par la relation dans laquelle elle se donne sans réserve : le Père par la paternité, le Fils par la filiation et l'Esprit par sa relation commune d'amour au Père

2. K. Rahner, *op. cit.*

et au Fils. C'est seulement en ayant part à ce mystère d'amour, à la communion trinitaire, que nous pouvons connaître vraiment Dieu. Contempler, c'est donc accueillir en soi cette vie divine, communicante et communiante, qui est essentiellement Amour. « Quiconque aime est né de Dieu et connaît Dieu » (1 Jn 4,7). « Celui qui demeure dans l'amour demeure en Dieu, et Dieu en lui » (1 Jn 4,16).

2. La primauté du Christ

Considérer la communication de la vie divine au monde comme la vérité centrale de notre foi, conduit tout naturellement à découvrir la création elle-même dans cette lumière. Le dessein de Dieu qui se révèle en Jésus-Christ n'est autre que celui qui a présidé à la création du monde. L'univers, avec tout ce qu'il contient, a été voulu en vue de cette communication de vie divine. Son déploiement tend vers cette fin unique : permettre à des êtres distincts de Dieu de vivre de la vie divine. L'amour créateur est originellement un amour divinisant. Nous lisons déjà dans le livre de la Sagesse : « Dieu a créé l'homme pour une vie impérissable, il a fait de lui une image de ce qu'il est en lui-même » (Sg 2,23). A l'origine de tout, il y a la volonté de Dieu de se communiquer pleinement. De là est sorti le monde.

Et la première créature voulue fut celle en laquelle devait se réaliser dans sa plénitude la communication divine : l'Homme-Dieu. Le Christ, l'homme Jésus, est donc, en sa qualité de Fils de Dieu, le « Premier-né de toute créature ». Voulant se communiquer hors de lui-même, Dieu a lancé sa création vers l'avènement de cette humanité sainte à laquelle il s'est uni d'une manière unique en la Personne du Fils éternel. Cette humanité divine est la pensée première de Dieu créateur ; elle en est aussi la réalisation plénière. C'est pour elle et en elle que tout homme est appelé à participer à la vie divine, dans la communion trinitaire. « Ceux qu'il connaissait par avance, il les a aussi destinés à reproduire l'image de son Fils, afin qu'il soit l'aîné d'une multitude de frères... » (Rm 8,29).

Faute de voir dans le Christ le sens même de l'acte créateur, notre contemplation chrétienne manque de grandeur. En vérité, elle n'est plus portée par le souffle créateur. Elle ne reflète plus le dessein grandiose de Dieu. Elle le casse misérablement en deux. Et cela donne un monde double, sans lien : d'une part, un acte créateur d'où le Christ est absent, et de l'autre, un Christ venu après coup, accidentellement, et réduit au rôle de réparateur de la faute. Comme si Dieu avait attendu que nous soyons pécheurs pour concevoir l'Homme-Dieu et pour vouloir faire de nous ses fils ! Comme si la vie filiale était un ajout accidentel à sa création !

Ce n'est pas ainsi que saint Paul voit les choses. A ses yeux, le Christ ressuscité est bien celui en qui nous avons été choisis, aimés, attendus par le Père, avant même la création du monde (cf. Ep 1,3-5). Et le monde lui-même a été voulu pour porter ce grand dessein d'amour (Col 1,15-17). Certes, à cause du péché, le Christ est venu en prenant sur lui notre destin tragique. Et c'est à travers la souffrance et la mort qu'il a rendu vie et splendeur au projet originel de Dieu. Dans sa résurrection se déploie à nouveau l'élan créateur et se révèle l'intention première de Dieu. L'univers se découvre comme une christogenèse, comme l'enfantement d'une humanité divine dans le Fils bien-aimé.

Retrouvons donc le beau visage du Christ. Redonnons-lui toute sa jeunesse, tout son éclat. Splendeur jaillie du sein de la Trinité sainte, il est l'expression première et parfaite de la communication que Dieu a voulu faire de lui-même à sa créature. Homme-Dieu, il est l'homme parfait tel que le Créateur l'a voulu de toute éternité ; il porte dans ses traits le secret du monde et tout l'avenir de l'homme.

« Qu'est-ce que le Seigneur a donc apporté de nouveau par sa venue ? demandait Irénée de Lyon. Eh bien ! sachez qu'il a apporté toute nouveauté, en apportant sa propre personne[3]... »

3. Dans l'Esprit Saint

Le beau visage du Christ ne se donne à contempler que dans la lumière de l'Esprit Saint. Les Apôtres voyaient le Christ en chair et en os. Ils avaient devant eux l'homme Jésus. Un homme extraordinaire sans doute, qui leur apparaissait revêtu d'une autorité et d'une mission divines. Mais un homme

3. Adversus Haereses, L. IV, 34,1.

tout de même, avec ses traits particuliers, son timbre de voix, l'éclat de son regard, ses gestes familiers, sa démarche personnelle, et sa manière propre d'enseigner. Autant de choses qui le distinguaient parmi mille autres. Les Apôtres s'étaient attachés à cette figure rayonnante. La proximité sensible et chaleureuse du Maître les avait séduits. Mais, en même temps, elle leur voilait ce que Jésus voulait leur révéler et leur communiquer.

Au cours du dernier entretien de Jésus avec ses disciples, Philippe, l'un des douze, demande au Maître : « Seigneur, montre-nous le Père, et cela nous suffit. » Et Jésus de répondre : « Voilà si longtemps que je suis avec vous, et tu ne me connais pas, Philippe ? » (Jn 14,8-9). Philippe et tous les autres voyaient Jésus et croyaient le connaître. En vérité, ils ne le connaissaient pas encore. Ils voyaient un homme merveilleux, un familier de Dieu, son messie sans doute, mais sans plus. Ils ne pouvaient voir rien d'autre avec leurs yeux de chair. Et la familiarité du Maître, dans laquelle ils vivaient, renforçait encore le côté humain et limité de leur regard.

Jésus le savait bien. Et c'est pourquoi il leur dit dans ce même entretien : « Il est bon pour vous que je m'en aille » (Jn 16,7). Les disciples voyaient Jésus de près. De trop près. Le fait d'être près de quelqu'un et de pouvoir le dévisager peut nous le cacher et nous le rendre absent. Il fallait que Jésus s'éloignât, qu'il retirât à ses disciples sa présence sensible, charnelle. Il fallait que l'idole par trop attachante disparût pour que se révélât enfin l'icône du Père. « Ne me retiens pas ! » dit Jésus à Marie de Magdala au matin de Pâques, je ne suis pas encore monté vers le Père... » (Jn 20,17). Marie de Magdala en était restée à une vision encore très humaine de Jésus ; en voyant le Ressuscité, elle pensait simplement retrouver un être cher, et déjà elle le replaçait dans son cadre familier. Et voici que sa vision éclate soudain : elle se trouve en présence du Christ Seigneur.

Un regard simplement humain sur le Christ historique peut nous faire voir en lui une haute personnalité morale et mystique, un grand homme de bien dont le message et la vie ont fait progresser la conscience humaine, un éveilleur qui a réveillé dans l'homme des énergies spirituelles insoupçonnées et lui a révélé sa plus haute destinée. Mais un tel regard ne peut aller au-delà. Il ne saurait découvrir en l'homme Jésus le Seigneur de la Gloire, Celui que Dieu lui-même s'est choisi pour se communiquer en plénitude, en assumant son humanité dans la Personne du Fils éternel. C'est là une chose que « l'œil n'a pas vue, que l'oreille n'a pas entendue et qui n'est pas montée au cœur de l'homme... » (1 Co 2,9). « Seul l'Esprit qui sonde tout, même les profondeurs de Dieu » (1 Co 2,10b), peut nous faire voir en cet homme le Don de Dieu dans toute « sa largeur, sa hauteur et sa profondeur ». Lui seul peut nous faire contempler en Jésus de Nazareth la révélation et la communication au monde de « cette vie éternelle qui était tournée vers le Père » (1 Jn 1,2).

« Nul ne peut dire : "Jésus est Seigneur", sinon dans l'Esprit Saint » (1 Co 12,3). C'est dire le rôle capital, irremplaçable, que joue l'Esprit dans la contemplation du Christ. Il n'y a pas d'autre voie d'accès à l'intimité du Père que l'humanité du Fils bien-aimé : « Nul ne vient au Père que par moi » (Jn 14,6). « Qui me voit voit aussi le Père » (Jn 14,9). « Si vous me connaissiez, vous connaîtriez aussi mon Père » (Jn 14,7). Mais pour que cette humanité du Fils ne fasse point écran et laisse transparaître la Gloire de Dieu dans la splendeur de son Don, il faut qu'elle soit contemplée dans l'Esprit. « Même si nous avons connu le Christ, selon la chair, écrit saint Paul, maintenant ce n'est plus ainsi que nous le connaissons » (2 Co 5,16). C'est l'Esprit qui nous fait entrer dans le jour intérieur de la présence.

Au cours de son dernier entretien avec ses disciples, Jésus a bien défini le rôle de l'Esprit à son égard : « Quand il viendra, lui, l'Esprit de vérité, il vous introduira dans la vérité tout entière : il ne parlera pas de lui-même, mais ce qu'il entendra, il le dira et il vous dévoilera les choses à venir. Lui me glorifiera, en reprenant ce que je vous ai dit et en vous le dévoilant » (Jn 16,13-14). L'Esprit de vérité n'ajoute rien à ce que Jésus a dit. Il ne dit rien de lui-même. Il reprend ce qui a été dit, mais il en révèle le sens profond, en liant toutes choses ensemble. Car il est lui-même la relation, la liaison. Il l'est déjà au sein de Dieu, à l'intérieur de la communion trinitaire ; il l'est aussi dans le Christ, reliant l'homme Jésus et Dieu d'une manière ineffable, en la Personne du Fils éternel ; il l'est encore en nous et entre nous, dans notre communion au Christ et à la Trinité divine.

Et parce qu'il est essentiellement relation et lien,

l'Esprit de vérité nous découvre toutes choses dans cette lumière. C'est ainsi qu'il glorifie l'humanité du Christ, en nous faisant voir en elle le signe de la communication de Dieu au monde, le signe de la Gloire : une Gloire qui se manifeste comme un grand mystère d'amour et de communion. Un mystère de désappropriation et de communication. Une plénitude de vie qui se réalise dans le don de soi. L'Esprit nous fait contempler cette Gloire en nous ouvrant nous-mêmes à cette plénitude divine. Jésus nous apparaît alors comme le premier-né qui ouvre le passage vers la filiation divine et la communion trinitaire, en laquelle l'homme trouve son accomplissement : « Et nous tous qui, le visage découvert, réfléchissons comme en un miroir la gloire du Seigneur, nous sommes transformés en cette image, allant de gloire en gloire, par le Seigneur, qui est Esprit » (2 Co 3,18). Oui, c'est l'Esprit qui nous donne de contempler le Christ, « le visage découvert », c'est-à-dire sans voile. Et c'est lui qui, par cette contemplation, nous transforme peu à peu à l'image de la gloire du Seigneur.

Aujourd'hui le monde a changé, dit-on. Il changera encore. Mais le cœur de Dieu reste le même. Et il le restera toujours. La même passion l'habite : « Dieu a tant aimé le monde qu'il a donné son Fils, son Unique, afin que tout homme qui croit en lui ne se perde pas, mais ait la Vie éternelle » (Jn 3,16). Il le donne aujourd'hui comme hier et toujours. Il n'a pas renoncé à se communiquer. Sa pensée, sa passion, sa gloire, c'est toujours l'homme vivant. L'homme vivant de la vie même de Dieu : l'Homme-Dieu, dans sa plénitude. La création tout entière n'a pas d'autre fin. Tout le dessein de Dieu tend vers cet accomplissement.

L'avenir peut sembler sombre à certains croyants. Le prophète Sophonie voyait, dans l'obscurcissement du monde, l'avenir du dessein de Dieu, porté par « un reste de petites gens, humbles et pauvres, dont Dieu serait l'unique richesse et le seul refuge » (So 3,12). Voici venu le temps du « petit reste », le temps des *Pauvres de Yahvé*, de ces « adorateurs inconnus au monde et aux prophètes mêmes » (Pascal). Ces hommes et ces femmes ne recherchent pas les premières places, ils ne se mettent pas en avant sur la scène politique ou médiatique. Ils se savent petits et fragiles. Mais ils sont ouverts, jusque dans leur détresse, à une « visitation d'en haut ». Ils portent dans leur cœur ce rayon de la Gloire, comme une promesse éclatante. Leur précieux trésor repose au creux de leur pauvreté et de leur fragilité. Ils savent que toute vie, pour naître et repartir, se fragilise toujours. Celle de Dieu comme celle des hommes. Quoi de plus fragile qu'un nouveau-né ? Mais aussi quelle promesse de vie, quel dynamisme caché dans l'impuissance du petit enfant ! Par contre, « tout ce qui est solide, cristallin, qui fait le fort, qui joue au dur, qui cherche à résister, les crustacés et les cuirasses, les statues et les murailles, les reîtres à rodomontades, les montagnes mécaniques avec des boulons... tout cela est irrémédiablement archaïque et refroidi. On dirait des dinosaures[4] ».

Aujourd'hui comme autrefois, les Pauvres de

4. M. Serres, *Eclaircissements*, p. 179, éd. F. Bourin, 1992.

Yahvé voient naître le Royaume de Dieu dans ce qu'il y a de plus fragile au monde : le regard d'un enfant. « Un enfant nous est donné... » : cet oracle du prophète Isaïe est toujours vrai ; il renferme tout l'avenir du monde. Les marcheurs de la nuit, les claudicants de l'ombre ont vu se lever une lumière. Et cette lumière d'aurore brille dans le regard d'un petit enfant. Merveilleux paradoxe : l'enfant, ce petit être qui ne parle pas, qui ne sait pas parler, c'est lui qui nous dit la Parole dans sa plénitude. Sur ses épaules fragiles repose la Toute-Puissance. Sa fragilité, pour qui sait voir, est commencement, création, imprévisible nouveauté. Dans son regard brillent nos enfances divines. Il est la grande communication de Dieu au monde. L'homme, enfin, tel que le Créateur l'a voulu dès le commencement !

Le Pauvre d'Assise a, dit-on, inventé la crèche de Noël. Il a contribué certainement à en répandre la pratique. Mais le plus important est d'avoir vu et fait voir autrement l'événement de la Nativité : avec un cœur de pauvre et des yeux d'enfant. « Je veux voir, disait-il, de mes yeux de chair, l'Enfant, tel qu'il était, couché dans une mangeoire et dormant sur le foin entre un bœuf et un âne... » C'était une idée neuve et naïve, mais aussi une idée merveilleuse et géniale, comme seuls les poètes peuvent en avoir : voir et faire voir, avec des yeux d'enfant, Dieu en son « avènement de douceur ». Rien n'était plus important pour l'avenir du monde. Dans une société de marchands, dominée par la passion de l'argent, il fallait donner à contempler la gratuité de Dieu. Dans un monde de clercs rêvant de théocratie, il était urgent de retrouver l'humilité de Dieu. Et, en un temps de croisades et de guerres saintes, quoi de plus nécessaire que de faire voir la tendresse de Dieu ?

Et, tandis que la chrétienté, trop sûre d'elle-même, entreprenait de célébrer sa propre épiphanie, en dressant toujours plus haut dans le ciel les tours et les flèches de ses cathédrales, comme un *Te Deum* flamboyant, François d'Assise et ses premiers compagnons contemplaient, dans l'ombre d'une étable, Dieu venant au monde dans la fragilité d'un petit enfant ; ils retrouvaient la source merveilleuse. Et, s'ouvrant à cette communication divine, ils devenaient ce qu'ils contemplaient ; ils naissaient à la vie divine. Et dans la joie créatrice, ils rendaient à Dieu le monde, et l'homme, et Dieu !

Table

Achevé d'imprimer le 8 février 1995
dans les ateliers de Normandie Roto Impression s.a.
61250 Lonrai
pour le compte des Éditions Desclée de Brouwer
N° d'imprimeur : I4-2509

Dépôt légal : février 1995

Imprimé en France